知的生きかた文庫

叩かれるから今まで黙っておいた「世の中の真実」

ひろゆき

JN080448

三笠書房

本書では、新たな試みに挑戦します。
多くの人が知らない、または目を背けている、
「世の中の真実」を伝えていこうと思うのです。

人はみんな、一生懸命いろいろなことを考えています。
そして、自分や大切な人たちのために行動し、
ときに周囲とも意見をぶつけ合います。

それ自体は悪いことではないけれど、
押さえておかねばならない大事なポイントがあります。
「そもそも、その考えの元となる知識は正しいのか」ということです。

正しく考えるには、正しい知識が不可欠です。
しかし、実際には多くの人が間違った知識の上に立って考えているのです。
間違った知識を拠りどころに思考を重ねれば、
どんどんおかしな方向に進んでいってしまいます。

逆に、正確な情報やデータに基づいた正しい知識を持っていれば、
自然と思考も正しい方向に進んでいきます。

僕はこれまで、著書やＳＮＳで「考え方」について述べてきました。
でも、その前に、正しい知識は正しい知識として、
ちゃんと伝えていかなくては、と思うようになりました。

権力に忖度《そんたく》し、偏った報道を続けるメディア。
フェイクニュースがどんどん拡散されるＳＮＳ。
怪しい陰謀論を語るインフルエンサー。

こんな状況を見るにつけ、「真実」を知ることが
とても難しい世の中になっていることを痛感したからです。

本書には、あなたにとって「知りたくなかった」と
思うようなことも当然、書かれているでしょう。

しかし、そうした「不都合な真実」とも向き合うことで、
「正しい思考」ができるようになるのです。

叩かれるから
今まで黙っておいた
「世の中の真実」

Contents

Chapter 1 社会

Chapter 2

仕事

「モンダイ」を抱えてがむしゃらに働く人たち

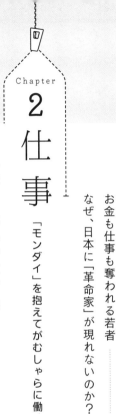

Chapter

3 教育

「謎の慣習」に従い続ける人たち

Chapter 4 政治

Chapter 5

人間関係

編集協力／中村富美枝
本文DTP／株式会社Sun Fuerza

はじめに　この世の中はもっと面白くて、もっと残酷で、もっと深い。

最近やたらと、ニュース番組にコメンテーターとして呼ばれる機会が増えてきました。僕は研究者でも評論家でもありません。インターネットの匿名掲示板「2ちゃんねる」を開設し管理人を務めた後は、もっぱらプログラマー的な仕事をしてきたに過ぎません。

そんな**僕のコメントが重宝がられるのは、おそらく何事に関しても、「忖度《そんたく》抜き」「タブーなし」で発言するから**でしょう。

自分では、単に当たり前のことを言っているだけなのですが、何かの力（大きなものとは限りません）によってバイアスがかかったものの見方をすることに慣れてしまっている人たちには新鮮なのかもしれません。

たとえば、コロナ禍におけるエピソードが、それを象徴しています。

大勢の人が「密」な状態でいると、新型コロナウイルス感染の危険性が上がることは、わりと早くから報道されていました。

そして、その密になる状況として、盛んに取り上げられたのがなぜか「屋形船」でした。屋形船で初期の感染者が出たことはたしかですが、レアケース以外の何物でもありません。

そもそも、屋形船を利用する人なんてごく一部でしょう。「屋形船での感染に気をつけましょう」と言われても、多くの人が「そもそも一度も乗ったことがないんだけど……」と思ったはずです。

僕にはそれがすごく不思議だったので、Twitterでこう発信しました。

「換気が悪く、密集する空間、不特定多数が接触する場所」の厚生労働省の例：スポーツジムや屋形船、ビュッフェスタイルの会食、雀荘、スキーのゲストハウス、密閉された仮設テント
「満員電車」って絶対言わないけど、罰ゲームでもあるの？

そうしたら大きな話題になって、テレビ番組やネットニュースなど、あちこちで取り上げられました。

やはり、僕と同じように感じていた人が少なからずいたのでしょう。


多くの日本人が、毎日のように満員電車を利用しています。屋形船はもちろん、雀荘もスキーのゲストハウスもビュッフェスタイルの会食会場もスポーツジムもこれまで足を踏み入れたことがなくても、満員電車に乗った経験がある人はたくさんいることでしょう。

あるいは、会社だって大勢が長時間、密な状態で過ごします。

つまりは、利用する人数の規模を考えると、日本社会における感染の危険性は、屋形船に乗ることなんかより毎日の通勤のほうがよほど高いのです。

でも、それを指摘してしまったら経済活動に影響が出るかもしれません。国や大企業に忖度しなければならない立派な評論家やテレビ局のアナウンサーは、やたらなことは言えないのでしょう。

ネット上で発言することが多かった僕が、こうしてテレビに出て忖度なくしゃべっていることで、これまで以上にさまざまな人たちから意見をもらうようになりました。そこには、もちろん反論もあれば、そもそも僕の発言は理解できないという声もありました。

いろいろな反応をもらうことは嬉しいのだけれど、反面、ちょっと複雑な思いも抱いています。というのは、**意見を言ってくる人たちが、基本的な知識を持っていないか、間違った知識を元に論理展開しているる**ことがあるからです。

これは、とても残念なことだと思います。

本来であれば建設的な議論ができるはずなのに、前提となる知識が間違っているせいで、まったく嚙み合わないやり取りになってしまっているのですから。そんなことをしていても、世の中はまったくいい方向へ行きません。

こうした危機感が、本書を執筆するきっかけとなりました。

本書では、大きく、**社会、仕事、教育、政治、人間関係という5つのテーマごとに、事例やデータを挙げながら、多くの人が気づいていない「世の中の真実」を明かしていきます。**

僕は今、フランスで暮らしていることもあり、日本という国や日本人を客観的に見ることができているようです。

そんな僕の目には、日本の真の姿がたくさん映ります。

前述した「屋形船か満員電車か問題」もしかり。一人でも多くの日本人の命を守りたいのなら、そして経済もうまく回したいのなら、「本当に危険なのはどこか」について、バイアスをかけずに真実を語ることこそ大事なはず。ところが、それをやっているメディアも個人もとても少ないのです。

それどころか、そこから目をそらし、たまたま死者が少ないことを挙げて「日本モデルの成功」などと褒め合っています。

日本という国は、今世界でどういう立ち位置にいるのか。バイアスや忖度抜きでそれを直視することによって、今後どうすればいいのかというのも見えてくるはずだと僕は思っています。

国家の問題に限りません。個人の人生を考える上でも、世の中の真実について知ることは不可欠です。

逃げないで直視してみると、世の中はなかなか面白いものです。

たしかに、世の中は不条理です。そして、多くの人が考えているよりずっと不公平です。とても残酷な一面がありますが、ゆえに、深いとも言えます。そうした世の中の真実を覗くことは、決して恐ろしいことではありません。

あなたがあなた自身を正しい方向に導くために、しっかり目を開けて見ていきましょう。

ひろゆき

Chapter

1

社会

「生きづらさ」の正体に気づけない人たち

日本の現状、見えていますか？

「競争」は激しいのに「衰退」していく

僕は普段、パリで暮らしていて、ときどき仕事で日本に戻ります。日本での楽しみの一つが食事。気取ったレストランでなくとも、何を食べてもおいしいのが日本のいいところです。

ただし、発泡酒だけは例外です。ビールが好きでよく飲むのですが、居酒屋の飲み放題コースなどで頼むときには結構緊張します。「ビールじゃなくて発泡酒が出てきたらどうしよう」と思うからです。

発泡酒は、なんでもおいしくつくる日本のメーカーにあって、めずらしくまずい商品です。いくら安いからといっても、僕は飲みません。

なぜ、そんな商品が生まれたかというと、ビールメーカーが「酒税対策」をしているからです。

350ミリリットルのビールの場合、売値は220円前後ですが、そのうち70円は酒税です。同じ容量で、発泡酒は47円（麦芽比率25％未満）、「第三のビール」と呼ばれる新ジャンルは37・8円の酒税がかけられています。これら酒税は、原材料の違いによって決まっています。

そこで、消費者に少しでも酒税が安いものを提供しようと、麦芽の量を減らしたりしてつくったのが発泡酒であり第三のビールです。

麦芽量を減らせば味が落ちることは承知の上で、それでも酒税を安くすることを目指したわけです。

いい商品をつくろうというのがスタートではないので、まずくなってしまうのも納得です。

1994年には、ビールメーカー5社で合計5億7200万函のビールを売り上げていました。それが、２０１８年には1億９４００万函にまで落ち込んでいます。その代わり、１９９５年から発泡酒が、２００４年からは第三のビールが出てきて、今ではそれらの合計がビールを抜くまでになりました。

しかしながら、全体としての売上は連続で減少しているのです。発泡酒をＣＭなどで一生懸命売り出しても、ビールより単価が安いので、全体の売上は下がっていきます。その結果、ビールメーカーはどこも苦境に陥っているわけです。

消費者にしたら、高いよりは安いほうがいいに決まっています。でも、安いといってもお金は払うんです。**クオリティの低い商品にお金を出すくらいなら、あえて買わないという選択肢もあって当然**です。

そこを考えずに、低価格競争に突入したビールメーカーは、自分で自分の首を絞める結果となってしまっているのです。

もっとも、今後は、酒税の違いを段階的になくし、３５０ミリリットルで約54円に統一されていくことになりました。それによって、こうした構図も変わっていくかもしれません。

それにしても、どうして、こんなことを長くやってきたのか。それは、ビールメーカーが**国内市場しか見てこなかった**からです。

今も日本のビール市場は、キリン、アサヒ、サントリー、サッポロの4社で99％を占めています。これら4社は長年、その99％の中からどれだけ自社が高いパーセンテージを取るかを考えてきました。

そのために、お互いに似たような商品（かつて、アサヒのスーパードライが急進したときには各社、ドライを銘打った商品を発売しました）を出したりしてきました。発泡酒や第三のビールも、その激しい争いの結果生まれたものだったのです。

ビールに限らず、今、日本のモノは国内でもなかなか売れないという話を耳にするようになりました。その原因について経済政策を挙げる人がいるけれど、もっと単純な話だと僕は思っています。

27ページのグラフにあるように、中国の人口は14億人を超えています。インドもやがて14億人を超えます。

一方で、僕の暮らすフランスの人口は約6500万人、韓国は約5100万人と日本の半分ほどしかありません。

こういう国では、企業は最初から市場を海外に置かないと成り立ちません。その結果、企業も、そこで働く社員も、早くからグローバル展開を意識するようになっています。

ところが、およそ1億2700万人という日本の人口は中途半端で、なんとか国内需要だけで企業はやってこられてしまった。だから、海外へ出て行くというモチベーションがもともと低いのです。

社員にしてみても、苦手な英語で苦労するくらいなら、そこそこの給料が取れるドメスティックな企業でぬくぬくしていればよかったというわけです。

僕は今まで、50か国ぐらいに行ったことがありますが、英語がほとんど通じないのは、中国やインドネシア、ブラジルなど、人口が多く国内需要でビジネスが成り立つ、つまり外国語を覚える必要のない国だったりします。

日本もぎりぎりそうした国の一つだったのだと思いますが、人口が減少の一途をたどっているので、**フランスや韓国のように、今後は海外の市場も得ていかなくてはいけない段階に来ている**わけです。

世界人口ランキング（2019年）

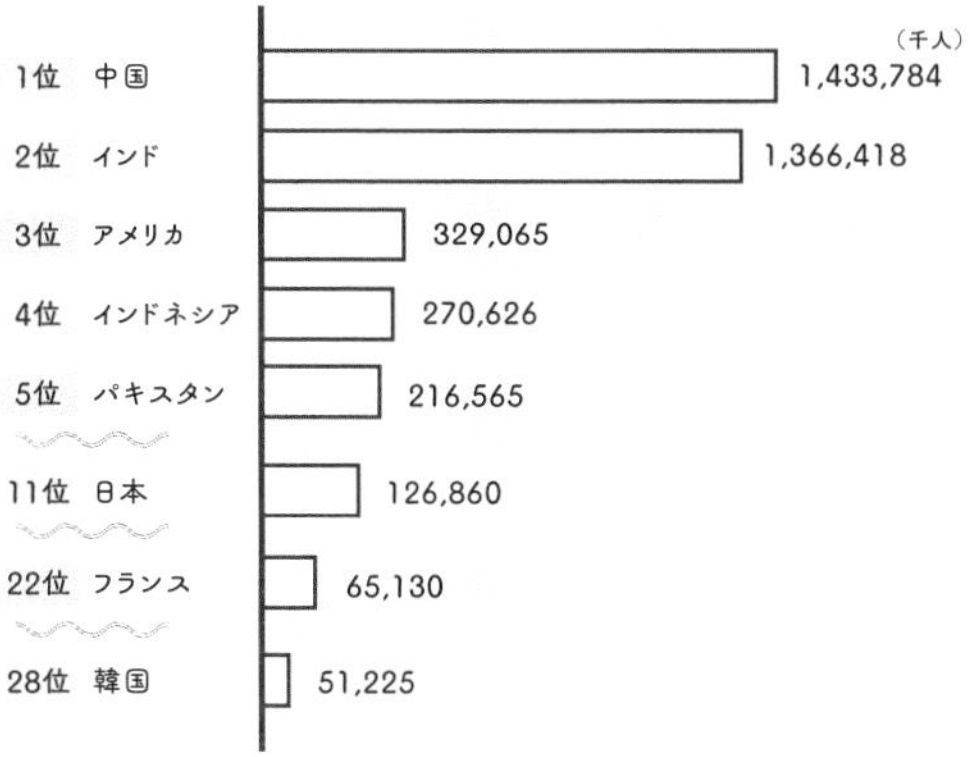

出典:『世界人口推計2019』

しかし、日本企業はグローバル市場が欲しがるような魅力的なモノがつくり出せていません。

長い間「内向き」の製品開発をしてきた日本企業にとっては、グローバル市場のニーズをつかむのは簡単なことではないのでしょう。

日本のルールや慣習に合わせたモノづくりから脱却し、海外市場でも受け入れられる商品を生み出せるか。日本企業は岐路に立たされているのです。

「COVID-19」のパンデミックは世界中を震撼させています。

フランスも、流行当初こそ「遠いアジア

諸国の出来事」として捉えていた人が圧倒的だったのに、急激に感染者が増え、緊迫感が一気に高まりました。

日本でも、マスク不足が深刻でした。需要が激増したことに加え、マスクはもともと中国からの輸入に依存していたからです。

政府が国内企業に増産を要請し、そして、それらの企業は休日返上で工場を稼働させたものの、しばらくの間医療機関にも一般の人たちにも十分な量が行き渡りませんでした。

シャープなど異業種企業が急遽生産に名乗りを上げましたが、そもそもマスクの材料となる不織布、ゴムひもなども中国からの輸入頼み。それらがなければ、いくら国内企業が増産しようとしてもままなりません。

また、建築業界なども、海外から部品が入ってこないことで、身動きが取れませんでした。おかげで自宅の新築やリフォームが途中でストップしてしまったという気の毒な人も多く出ました。

今回のことが明確に示したのは、もう世界はつながってしまっているんだということ。それは、ウイルスだけの問題ではなく、経済も同様。**日本人が好むと好まざると**

にかかわらず、世界はとっくにグローバル社会になっていたのです。

〝安い国〟ニッポン

グローバル化を続ける世界の中で、ここ最近際立っているのが、日本の「物価の安さ」です。

「安いニッポン」——これは、日本経済新聞の特集記事のタイトルで、掲載当時大きな話題を呼びました。この記事では、海外の国々と比べて、日本の物価が低迷しているという現実を、具体的な数字を挙げつつ報じています。

記事には、ダイソーの商品価格を比較したデータが掲載されています。日本では、ダイソーと言えば「100円ショップ」ですが、実は国ごとに商品の値段が違うそうです。

国ごとに「○円ショップ」なのかをまとめたのが、31ページの表です。

中国では153円、シンガポールでは158円、アメリカでは162円……と、どの国も日本より50円以上も高くなっています。ブラジルに至っては、215円と日本の2倍以上です。

また、ディズニーランドの入場料は、日本では8200円ですが、アメリカ・カリフォルニアでは、1万4000円くらいと大きな開きがあります。

そうです。**日本は「安い国」なんです。**

僕自身、電化製品や服は日本に帰ったときに買い込んでいます。フランスにもユニクロや無印良品はありますが、日本より3割くらい高くなっています。


1990年代前半、日本はとても「高い国」でした。

だから、海外からはよほど裕福な人たちしか遊びには来ませんでした。

逆に、私たちが海外旅行に行けば、日本でならファミレスで食事するくらいの値段で、そこそこの高級レストランに行けました。ブランドものもばんばん買えました。

企業の駐在員も、東南アジアあたりでは家政婦や運転手を雇えました。

当時の日本人は、ごく庶民であっても海外では富裕層のように振る舞えました。

しかし、それはとっくに昔話になっています。今、海外旅行に行くと、どこも物価が高いことに驚くはずです。実は**日本だけが取り残されたように物価が安い**というの

ダイソーの商品価格
（2019年10月31日時点での円換算）

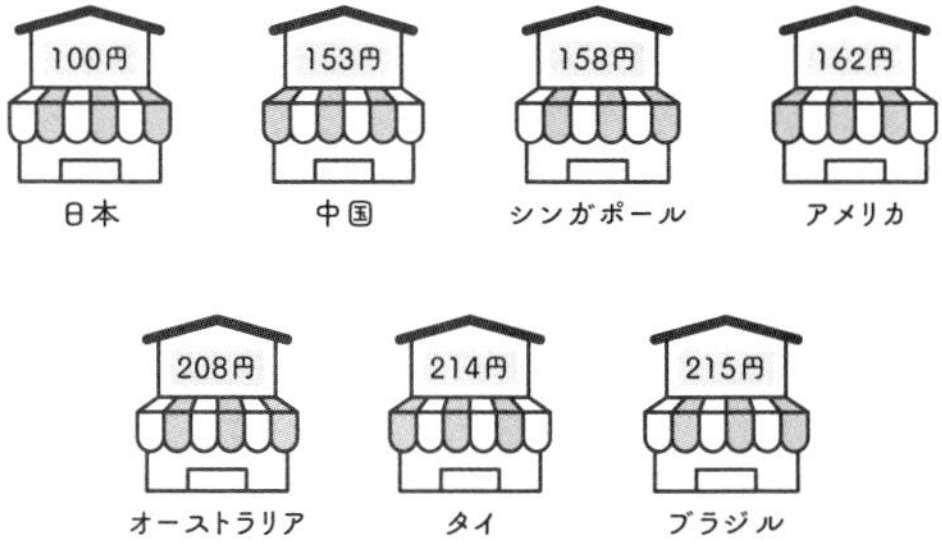

出典：「価格が映す日本の停滞」『日本経済新聞』2019年12月10日

が現実なのです。

まだ日本の物価が高かった頃、中国に返還される前の香港では、ビクトリア湾の光り輝く電飾看板は、ソニー、東芝など日本の電機メーカーが独占していたものです。

当時、日本の電機メーカーは、次々とアジアに進出し、技術を伝えていきました。しかし、そうした国々にいつの間にかすっかり逆転されてしまいました。

たとえば、かつてのシャープにとって台湾の鴻海《ホンハイ》は、一取引先であると同時に、下請的な存在でした。ところが、そこに買収されてしまった。

中国や韓国の電機メーカーも同様に、そ

の多くが日本の技術を下敷きにして成功を収めたわけです。

もちろん、それは責められることではありませんし、「裏切られた」などと恨み言を言ってもどうにもなりません。

まずは、**「日本の現状」をきちんと理解すること。そして、これから世界でどう存在感を出していくかを考えていくべき**なのです。

「世界競争力ランキング」からわかる存在感

「日本の現状」を正しく理解するのに役立つデータがあります。

スイスのビジネススクールＩＭＤは、独自の調査による**「世界競争力ランキング」**を毎年発表しています。２０２０年の日本のランクは、前年から4つ落ちて63か国中の34位。

1位シンガポール、2位デンマーク、3位スイス……と続き、香港（5位）も中国（20位）もマレーシア（27位）もタイ（29位）も日本より上位にいます。

かつての日本は、このランキングで常にトップクラスにおり、１９８９年から4年連続で1位を取り続けたほどです。だから、当時働き盛りだった人たちは、今の評価を受け入れることができないかもしれません。

日本は治安もいいし、食べ物もおいしいし、不快な思いをさせられることも少ない。他の先進国と比べても、いいところはたくさんあります。なのに、**日本の世界的な競争力は低い**とされてしまっている。

ここで、「こんなランキングはでたらめだ！　日本はまだまだ世界で戦えるんだ！」と主張するのも一つの姿勢でしょう。でも、これだと結局根性論に終始してしまい、いい方向には進んでいけません。

日本のどういう部分が評価され、どういう部分が問題だとされているのか。それをきちんと確認した上で、「どうすればいい部分を伸ばせるのか、ダメな部分を改善できるのか」を考えていく必要があるのです。

ＩＭＤのランキングは「経済のパフォーマンス」「政府の効率性」「ビジネスの効率性」「インフラ」の4つの要素（それぞれの要素は5つの小項目からなっています）から総合的に判断されます。

このうち、インフラに関して日本は高い評価を得ています。

一方で、ビジネスの効率性についてはとても低い評価を受けています。ビジネスの効率性のうち、小項目の「経営姿勢」は63か国中62位、「生産性と効率」は55位と、かなり足を引っ張っています。

立派なインフラは整っているのに、ビジネスの効率が悪い。これは、日本にはびこる「長時間労働」の結果によるものでしょう。短時間で成果を出せる環境は整っているのに、「長く働く」ことが当たり前になってしまっている。環境が整っていても、それを使う人間が疲弊していては意味がありません。

日本は国内総生産（GDP）こそ世界3位ですが、一人あたりに換算すると26位。しかも、年々ランクは落ちています。このデータからも、**海外諸国に比べて日本人の働き方そのものが非効率**だというのがわかります。

2008年までの日本は、人口が増加していたので、生産性が低くても、国全体としては高い生産額を維持できていました。

しかし、今は違います。人口が減り続けているので、生産性が低い日本では生産額も減少しているのです。それが、世界的な競争力の低下につながっているのでしょう。

詳しくは次章で述べていきますが、時代に合わない働き方が浸透してしまっているのは、日本企業の社内制度に原因があります。

たとえば、日本ではいまだに能力による評価があまりなされていません。「年功序列」という制度が、多くの職場で撤廃されずに残っています。

経営者の立場から考えると、いいものをつくる能力のある人が会社にいることが最も重要で、そういう人を評価するのは当然です。それなのに、**ただ長く勤めているというだけの理由で中高年を管理職にしている**のです。誰しも周りに一人くらい思い浮かぶ人がいるのではないでしょうか。

高度経済成長のときは、日本全体が上り調子だったので、「やれば結果が出る」時代でした。能力や効率を重視しなくても、とりあえず長く働けばよかったのです。こういう社会状況であれば、「会社に長くいる＝会社に貢献してきた」ということなので、年功序列は理にかなっています。

競争はもちろんありましたが、クオリティの高さよりも、とにかくたくさんのモノを早くつくろうという「大量生産」を競い合っていました。

モノが不足していた時代は、安いものをつくっていれば買う人が必ずいたのですが、今は、みんな豊かになったので生活必需品じゃないものにお金を使う時代だったりします。

たとえば、ゲームアプリの課金などは利用しなくても人生ではまったく困らないのですが、今は多くの人がお金をつぎ込んでいます。

このように、**現代の日本は経済が成熟しているため、ただモノを売る、ただサービスを提供するだけでは、存在感を出していけません。**何か一つ抜きん出たところが必要です。同時に、そうした製品やサービスを生み出せる人こそが一番評価されるべきなのです。

よく、「優秀な人材が来てくれない」という声を耳にします。優秀な人たちは自分を正しく評価してくれる職場か、業務の対価をそのまま収入として得られるフリーランスを選んでいるのでしょう。いまだに年功序列などの古い制度をそのまま採用している会社には見向きもしないはずです。

僕自身は特別優秀というわけではありませんが、「少ない労力でいかに成果を出せるか」は常に最重視してきました。まあ簡単に言えば「いかにさぼりながらうまくやるか」を追求しているのです。

僕が「2ちゃんねる」を立ち上げたとき、他にもネット掲示板のサイトはいくつかありました。サイトの管理人たちの中には、メンテナンスや問い合わせ対応などを僕以上に頑張っていた人もいました。

しかし、最終的に一番大きくなったのは2ちゃんねるです。**注いだ時間や労力は残念ながら結果に比例しない**のです。

とはいえ、僕が大学を卒業した2000年代には、まだ「長く働くほどえらい」と考えている会社ばかりでした。

なので、僕は自分で会社をつくり、「働く時間は関係なく、どれだけ会社の利益につながる仕事ができているかで評価する」という、今で言う実力主義の先駆けのようなシステムを構築しました。

日本人や日本企業自体が無能だとは僕は思いません。実際、日本が世界競争力ランキングでトップを取っているときは、欧米諸国でも日本から学ぼうという流れがありました。単に今は社会の仕組みが制度疲労を起こしているということでしょう。

現在、ランキング上位を占めるシンガポールも香港も、世の中の変化に社会をうまく適応させていくことで成長を続けてきました。

僕らが今すべきなのは「昔はよかった」と懐かしむことでも、「将来は暗い」と悲観することでもなく、時代に合った制度を取り入れていくことなのです。

急速に進行する「格差化」

「黄色いベスト運動」が示す事実

ここ数年、僕はフランスで暮らしています。そのため、２０１８年の11月から巻き起こった**「黄色いベスト運動」**を目の当たりにすることになりました。

黄色いベスト運動は、２０１５年から断続的に実施されている自動車燃料の増税に対する抗議運動です。

最初は、その影響をもろに受けるドライバーたちが、安全確保のために着用する黄色いベストを着て抗議したに過ぎませんでした。しかし、多くの国民が加わるようになり、あっという間に30万人規模のデモへと発展していきました。

この運動を支えた中心層は、月の世帯収入が19万円くらいの労働者や年金生活者だと言われています。なかには、鉄道の組合員など、安定した仕事に就いている人もいましたが、多くは毎日の生活にいっぱいいっぱいで、まったく金銭的余裕がない人たちでした。

彼らは、マクロン大統領がお金持ちに寄り添って、自分たち庶民を困窮させる政策を打ち出していると考え、徹底抗戦を続けたわけです。

黄色いベスト運動が、他のデモ活動と違うのは、**いわゆる右派・左派といった政治思想に関係なく、富裕層と庶民という階級闘争として発展していった**ことです。このことは、現代のフランスがまぎれもない格差社会であり、いかに二極化が深刻なものになっているかを示しています。

そして、それは日本にとっても対岸の火事ではありません。なのに、多くの日本人は他人事《ひとごと》として眺めています。

かつての日本で当たり前のように受け入れられてきた「1億総中流」という定義は、もはやとっくに崩壊していることに多くの人が気づいているでしょう。アメリカほどではないにしても、日本もすでに貧富の差が激しい二極化社会に突入していると。

しかしながら、その二極化社会を自分事として把握できている人は少数派です。たしかに、今現在の収入で考えると、下流意識はなかなか持てないかもしれません。年収400万円くらいであれば、今のところは立派な中流です。しかし、それが維持される保証などまったくありません。

これからさらに進む二極化によって、日本人は一握りの上流層と、圧倒的多数の下流層に分かれていくでしょう。

生命保険文化センターという機関が、興味深いデータを公表しています。それによると、単身世帯の金融資産保有額の「中央値」は45万円となっています。つまり、**単身世帯の半分は、45万円以下の金融資産しか持っていない**ということです。中央値は平均値と違って、高い(低い)ほうから順番に並べたときの真ん中に位置する数値です。平均値のように、一部のはずれ値によって、数値が大きく変わったりしないので、より僕らの実感に近い数値が出てくることもあります。

一方、「平均値」は６４５万円にも上ります。少数のお金持ちがいることで平均値が大きく引き上げられているわけです。

もう一つ、単身世帯に関するデータを見てみましょう。

金融広報中央委員会の調査によると、金融資産をまったく持たない単身世帯の割合は、２００7年は29・9％だったのに対し、２０１9年には38％と8ポイント以上増加しています。とくに、40代で年収３００万円未満の層は、49・7％が貯蓄ゼロです。

これが、ごく少数の富裕層と大多数の庶民層に分かれつつある日本の現実です。

では、どうしてこんなことになったのでしょうか。

今後、ＡＩの実用化が進むことで、貧富の格差がさらに拡大すると言われていますが、それを待つまでもなく、日本が二極化することはすでに決まっていたのです。

かつて、アメリカの経済学者で、クリントン政権下で労働長官を務めたロバート・ライシュは「世の中の仕事は頭脳労働と**マックジョブ**に二極化する」と予言し、日本もその道をたどりました。

マックジョブとは、マクドナルドのアルバイトに代表されるような、マニュアルに沿って行えば誰でもできる仕事を指します。

もともと仕事は「専門性の高いもの」と「誰でもできるもの」に分かれていました。それでも、ロボットなどによる自動化が進むまでは、誰でもできる仕事にもそれなりの給料が支払われました。さもなければ、製造業などでは製品がつくれなかったからです。

ただ、それは「労働力として必要だった」からであり、機械のように、人に代わって労働してくれる存在があれば話は別です。

日本のビジネスパーソン（とくに中高年）の多くが、携わっている仕事について「自分がいなくちゃ回らない」と思っているようですが、そんなことはありません。誰でも回せます。今では、多くの仕事がマックジョブになっているのです。

このように、**「誰でもできる仕事」をしている人は、社会に変化が起こったとき、一気に窮地に追いやられてしまいます。**

僕がおすすめ本としてよく挙げている『コンテナ物語』（日経BP）では、「コンテナの発明により、先進国が不況に陥った」という驚きの事実が明かされています。この本によると、コンテナが生まれたことで、海上輸送費が異常に安くなり、人件費の安い海外生産が一気に増加、先進国の製造業が不況に陥る……といった過程をたどったようです。

海外生産が増えたことで、国内の製造業に従事していた人は仕事を失いました。さらに、社会全体が不況になったことで、マックジョブをしている人を中心に、仕事が続けられなくなったのです。

しかしながら、**ほとんどの人は、自分の仕事が「誰でもできる」ようになったことに気づかず、「専門性の高い仕事に就いている」と思っています。**この思い込みと現実のギャップに早く気づかないと、取り返しのつかない状況に陥ってしまうかもしれません。

さらに残酷なのは、ごく一部の人は、給料の高い専門的な仕事を続けられることです。そして、彼らの年収はどんどん膨れ上がっていくでしょう。これまでだったら「誰でもできる仕事」に支払ってきた人件費がカットできるのですから。

「誰でもできる低賃金の仕事」に就く大多数の人たちと、「専門性の高い高賃金の仕事」に就く少数の人たち。

そうした格差社会への反発が、黄色いベスト運動の一つのきっかけとなったのかもしれません。

「貧乏」が頭を悪くする

ここまで説明してきたような社会になっている理由がわかる実験があるので紹介します。その実験はハーバード大学のセンディル・ムッライナタン教授（行動経済学）と、プリンストン大学のエルダー・シャフィール教授（心理学）が、共同で行ったものです。

実験場所はニュージャージー州にあるショッピングモールの駐車場。実験対象者に世帯収入を自己申告させることで、富裕層と貧困層に分けて結果を比較しています。

実験の内容はこうです。ショッピングモールに買い物に来ていた人たちに「あなたの車に不具合が起きている」と修理にお金がかかることを伝えた後で、「レーヴン漸進的マトリックス検査」という流動性知能を測るテストを受けさせます。流動性知能とは、おもに計算力や論理的思考力のような能力を指します。

試験者は実験対象者に、まずはこう問いかけました。

「あなたの車に不具合が起きていて、修理には300ドルほどかかります。ただし、自動車保険が適用されて、負担は半額で済みます。修理しますか？　それとも、一か八かこのまま様子を見ますか？」

修理するか様子を見るかの判断は人それぞれでも、工面するかどうか検討しなければならない金額は150ドルです。

この案件について考えさせた後に知能テストをすると、富裕層も貧困層も結果に大きな違いは見られませんでした。

ところが、次の条件に変えると、結果は大きく違ってきました。

「あなたの車に不具合が起きていて、修理には3000ドルほどかかります。ただし、自動車保険が適用されて、負担は半額で済みます。修理しますか？　それとも、一か八かこのまま様子を見ますか？」

この場合、工面するかどうか検討しなければならないのは1500ドル。かなり大きい金額です。

そして、このことについて検討させた後に知能テストを行うと、富裕層は変化がなかったものの、貧困層は成績の著しい低下が見られたのです。

貧困層にとって、150ドルはなんとかできるとしても、1500ドルは困難。そのため動揺し、頭が混乱してしまって流動性知能も低下したものと思われます。

こうしたことは誰でも起きます。**お金のことを心配して、それで頭がいっぱいになっていると判断力が弱り、余計にカモられたり、損をしたりしやすい**のです。

つまり、貧乏な人はいろいろ考えているつもりでも、貧乏であるがゆえに間違った判断をしがちだということ。そして、その結果、どんどん貧乏になっていくという身も蓋もない結論に至ります。

こうした実験結果を知ってか知らずか、日本でも「お金がない人」をターゲットにしたビジネスがいくつも展開されています。たとえば、「CASH」というサービスを聞いたことがあるでしょうか。

CASHは、自分が売りたい手持ちのブランド品などをスマホで写真に撮り、その画像を送るだけで査定が済んで現金が受け取れるサービスでした（現在は即現金化のできない中古買取アプリになっています）。サービス開始から16時間半で約3億6０００万円が現金化されて話題になりました。

深く考えずに多くの人たちが飛びついたのでしょう。短時間に利用者が集中して、査定機能を一時停止するほどの騒ぎになりました。

おかげで「ブランド品を売るならＣＡＳＨ」という認識が、スマホユーザーの間で定着しました。

ＣＡＳＨ経営者の狙い通りの展開だったはずです。

しかし、写真だけで自動的に査定するというのは、鑑定士が持ち込まれた現物を見て査定するよりも正確な判断がしづらいでしょう。実際、サービス開始当初は10個で１９９円のヘアゴムが1個１０００円でキャッシュ化できたりしたようです。

運営側としては、こうしたおかしな査定分を補塡しなければならないので、リアルな中古買い取り店舗よりも買取額を下げたり、手数料を高くしたりする必要があります。なので、ＣＡＳＨを使うよりも、店舗に持ち込んだほうが高く売れる可能性は高いのです。

ただ、目先のお金を早く手にしたい人たちはそこまで考えていません。**貧乏により判断力が弱くなっている人がビジネスのターゲットにされ、カモられてしまう。**これでは、格差が広がっていくのも当然ではないでしょうか。

特別扱いがすぎる「上級国民」

「階級社会」の怖いところは、金銭面だけの格差にとどまらないところです。一部の特権階級の人々はありとあらゆる場面で「特別扱い」されているのです。

最近、SNSを中心に**「上級国民」**という言葉がよく使われるようになっています。この言葉は、東京オリンピック・パラリンピックのエンブレム盗作疑惑が取りざたされた際に、一気に広まりました。

オリンピックの大会組織委員がエンブレムの白紙撤回を表明した会見の中で、「専門家にはわかるが、一般国民は残念だが理解しない」などと述べたことに対して、彼らの選民意識を批判する形で使われるようになったのです。

今に始まったことではありませんが、上級国民に忖度したとしか考えられないような事例がここ数年相次いでいます。

池袋で青信号の横断歩道を渡っていたなんの罪もない母子が、暴走してきた高齢者の車にはねられて死亡した事件はまだ記憶に新しいでしょう。

加害者の高齢者は元通産省職員の「飯塚幸三」という男で、本来だったら逮捕されて「飯塚容疑者」と報道されるべきところを、「飯塚元院長」とかいうわけのわからない肩書きで呼ばれました。

この優遇ぶりについて、ネットユーザーを中心に「上級国民だからか」と批判されました。テレビのワイドショーなどでは、そうした国民の声があることにはふれておきながら、自分たちは「飯塚元院長」として当初、扱っていました。

そして、法律の専門家でもないコメンテーターが「高齢で逃亡の恐れもないことから、そもそも逮捕する必要がないからでしょう」などという解説をしていました。

ただ、過去において、もっと小さな罪で、高齢者がたくさん逮捕されています。**実際に逮捕されている高齢者がいる以上、「上級国民で特別扱いされているから逮捕されていない」という批判が出るのは当然**だと思います。

もう一つ、驚くべき事例を紹介しましょう。

東京オリンピック・パラリンピックを誘致したときのＪＯＣ会長は、竹田恒和《つねかず》氏でした。明治天皇のひ孫として知られる人物です。

この竹田氏が、26歳のときに、22歳の女性を死亡させる交通事故を起こしていることを知っている人がどのくらいいるでしょう。

当時、馬術の選手だった竹田氏は、茨城国体に出場すべく自分の車を運転していました。そして、対向車のヘッドライトに目がくらんだという理由で歩行者を轢《ひ》く事故を起こしたのです。

ヘッドライトに目がくらむというのは、なんら特別なことではなく、明らかに過失は竹田氏にあります。にもかかわらず、刑事責任を問われることはありませんでした。未成年ではなく、26歳という立派な大人なのにです。

それどころか、竹田氏はその2年後、日本代表の馬術選手としてモントリオールオリンピックに出場しているのです。

一方、バドミントンの桃田賢斗選手は、押しも押されもせぬ一流選手ですが、過去に闇カジノに出入りしていたことで、リオデジャネイロオリンピック出場権を剥奪されたことがありました。

過失致死と闇カジノ、いったいどっちのほうが罪が重いでしょう。言うまでもないはずなのに、実際には上級国民である竹田氏は特別扱いを受けているのです。

付け加えると、竹田氏はオリンピック誘致の際に、ＩＯＣ委員の息子と関わりが深いとされる会社に約２億２０００万円を振り込んだ贈賄疑惑で辞任をしています。

上級国民だけが受けられる特別待遇は、ある意味金銭面での格差よりも残酷なものだと言えるかもしれません。データや数字に表立って出てくることはほとんどなく、「知らないうちに」差をつけられることになるからです。

こうした現状を見ていくと、僕は「日本は平等な社会だ」とはどうしても言えなくなってしまうのです。

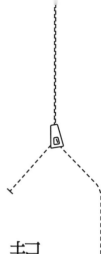

高齢社会で起きていること

制度を壊す「歪な比率」

一人の女性が一生の間に産む子どもの数を平均化した数値を「合計特殊出生率」と言います。２０１９年の全国値は１・36。これが２・07に届かなければ少子化が進むと言われています。

都道府県別だと、一番高い沖縄県が１・82、続いて宮崎県が１・73と、どちらも２を切っています。

低いほうで目立つのは、東京都の１・15、宮城県の１・23です。

こうした少子化に加え、今は**「人生１００年時代」**などと言われるようになり、平均寿命が延びているので、高齢者がどんどん増えていきます。

もちろん、人が長生きするのは悪いことではありませんが、問題は「比率」。若者と高齢者の比率がひどく歪《いびつ》になっているのです。

実際に数値で見てみましょう。年金受給開始年齢である65歳以上を高齢者とした場合、その人口に占める割合は、2019年は28・4％だったのが、2025年には30％、2055年には38％に達すると予測されています。**人口のほぼ4割が高齢者という社会が目の前に迫ってきている**わけです。

しかも、日本は欧米諸国に比べ、高齢化が進むスピードが速く、その対応が後手に回っています。

次ページのグラフは、全人口に占める65歳以上の割合が7％から倍の14％まで進行するのにかかった時間をグラフにして示したものです。

フランスでは、すでに1864年に7％に達していたものの、14％になったのは1990年。実に126年も要しています。つまり、日本に並ぶ高齢化社会と言われているフランスは、人口形態があまり変化していない国なのです。

高齢化率が7%から14%になるのに要した時間

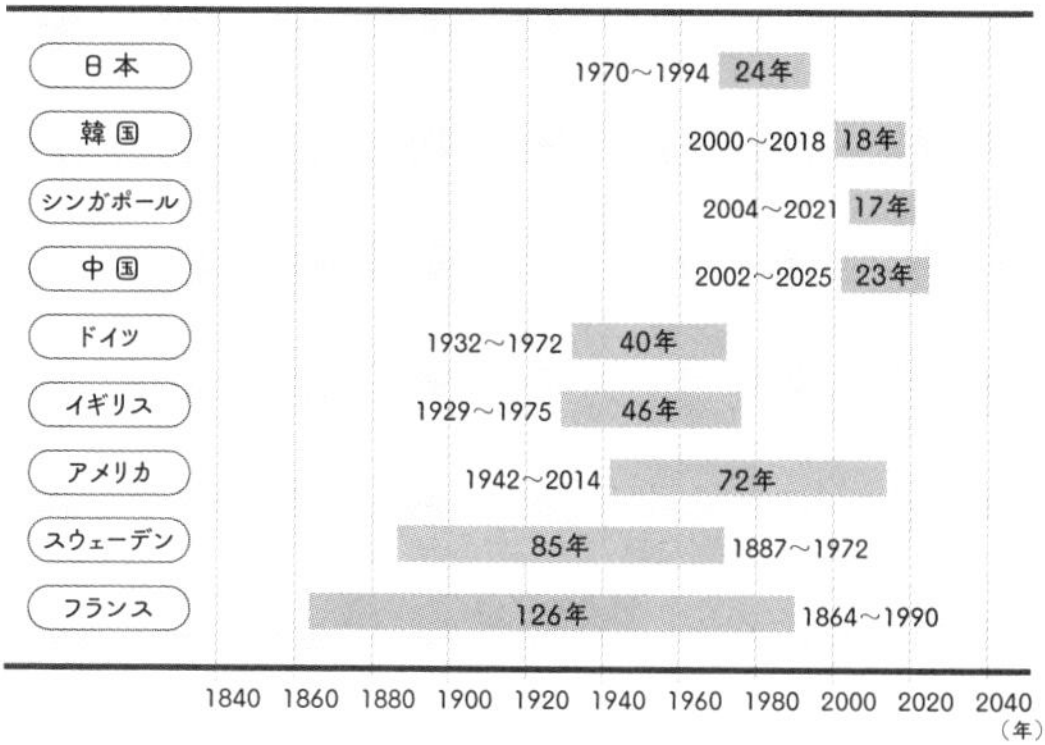

出典：「令和2年版高齢社会白書」内閣府

スウェーデンやアメリカも同様のことが言えます。

一方、日本は１９７０年に７%に達し、その24年後の１９９４年に14%となりました。韓国やシンガポール、中国などといった他のアジアの国々と同様に、あれよあれよという間に高齢者が溢れる国になったのです。

かつて、日本では70歳以上の人の医療費が無料だったこともあって、病院は高齢者のたまり場と化していました。

街中の病院には、とくに悪いところもない高齢者が集まり、たとえば「牽引」という丸まった背中を引っ張るような意味のない治療が盛んに行われ、湿布薬などが処方されていました。

意味はなくても、病院はお金が入ってくるので高齢者を受け入れます。そして、そのお金は結局、若い世代が負担していたわけです。

さすがに今は、基本的に高齢者も一部医療費を負担するようになりました。しかし、高齢者のほうが一人あたりの医療費は高くなるので、収支のバランスが崩れていきます。このまま**高齢者の比率が増え続ければ、遠くない将来、日本の医療制度は限界を迎える**でしょう。

ちなみに、堀江貴文さんは長野刑務所にいたときに、衛生係として高齢者や体の不自由な受刑者の介助を担っていました。その堀江さんいわく、高齢の受刑者は出所しても6、7割が戻ってくるそうです。就労支援をしても、「刑務所に戻りたい」とわざと再犯に手を染める人も多いのだとか。

これまた、病院とは違った意味で高齢者のサロン化しているわけです。

もともと、逮捕されるようなトラブルを起こす人は、社会に居場所がない場合も少なくありません。だから、出所してもなかなか仕事が見つからず、自力で生きていくことが難しくなってしまいます。

でも、刑務所にいれば3食出してもらえるし寝る場所もある。社会のレールから外れたことのない人には信じられないと思いますが、「刑務所にいるほうが生きやすい」という人が少なからずいるのです。

しかし、刑務所の運営は税金で行われているわけで、これまた若い現役世代の負担であることは間違いありません。

このように、超高齢社会が大きな問題となっていますが、これは別に高齢者自身が悪いわけではありません。テレビでは、若者対高齢者というように対立を煽《あお》っているコメンテーターなどもいますが、これに引っ張られないほうがいいと思います。

今どんなに若い人も数十年後には高齢者の仲間入りをします。**若者が「高齢者の権利を取り上げるべきだ！」などと訴えていると、将来の自分の首を絞める結果になりかねない**のです。負担の原因となっている高齢者を攻撃することで、一時的に溜飲が下がるかもしれませんが、何一つ根本的な解決にはなりません。

この項目の冒頭でも話したように、問題は若者と高齢者の歪な比率にあります。それを解消するには（当然、高齢者を減らすことはできないので）出生率を上げていくしかありません。

お金も仕事も奪われる若者

高齢者が増えることで問題が生じているのは、医療制度だけではありません。年金制度もかなり厳しい状況にあります。

1965年には、65歳以上の高齢者1人を9・1人で支えればよかったのが、2050年には1・2人で支えなければならないという試算があります。

言ってみれば、高齢者1人を若者1人が支えなければならなくなるわけです。しかし、自分の生活を支えるだけでいっぱいいっぱいの若者に、年金保険料の負担はあまりに大きすぎます。

若者からすれば、「自分たちがもらえるかどうかわからないのに、どうして年金を払わなくてはいけないんだ」という気持ちになるでしょう。**現在70代以上の人は、自分が払い込んだ額面の6倍以上もらえるのに、30代以下は6割ほどしか受け取れない**

そうですから。

しかも、若者は貧乏で高齢者は金持ちなのです。日本全体の金融資産の6割は60代以上の人が保有していて、39歳以下はわずか6％しか持っていません。

つまり、もともとお金を持っている高齢者に、貧乏な若者が年金を通してお金を渡し続けるシステムができ上がっているわけです。

しかも、そうしたシステムを変えようと思っても、**若者より高齢者のほうがずっと人口比率が高いので、なかなか社会の変化が進んでいきません。**

医療が進歩し、人々が健康で長生きできるのは歓迎すべきことですが、それが社会全体の停滞を招いているのが現実です。

セブン&アイ・ホールディングスの名誉顧問を務める鈴木敏文氏は、かつて、とても優れた経営者として名を馳せました。しかし、それはあくまで過去のことだと痛感させられる出来事がありました。

2016年に、当時は会長だった鈴木氏が、傘下であるセブン-イレブン・ジャパンの井阪隆一社長に辞任を迫ったお家騒動がありました。

結果的に、それは叶わず、鈴木氏が会長職を辞任することになります。当時は井阪氏のもとで業績が順調に推移しており、鈴木氏の提案は役員会で可決されなかったのです。

それを発表する記者会見の席で、鈴木氏は井阪氏への不満や、創業家への文句など、感情的な発言を繰り返しました。会社の内情を感情に任せて話し出すなど、経営者としてはあってはならないことです。カリスマ経営者も「老い」には勝てないことが明確に示された会見でした。

日本最大級の独立系資産運用会社レオス・キャピタルワークスを経営する藤野英人氏は、こうした高齢層がはびこる日本企業の在り方を**「GG資本主義」**と呼んで「ジジイ」の存在こそ経済停滞の原因と指摘しています。

日本には高齢の経営者や幹部がいつまでも残り続けている企業が多く、結果として経営が弱体化しているのです。

2010年に経営破綻したJALもそうでした。破綻の原因の一つとなったのが、社内年金制度です。

定年退職していった社員にたくさんのお金を支払っていたために経営が傾いたので

すが、年齢の高い幹部社員はそれを知っていながら誰も改めようとしませんでした。なぜなら、もうすぐ自分もその蜜が吸えるからです。

今、現役を退いた世代に仕事をしてもらおうという動きが盛んです。「シルバー世代は銀の卵」などとはやし立てる流れもあります。

実際に、労働人口に占める65歳以上の割合は、１９８０年には4・9％だったのが、２０１９年には13・２％に上昇しています。この傾向は今後も続くでしょう。日本は少子化によって労働力が減ってきているので、元気な高齢者に働いてもらうというのは悪くない選択です。

しかし、僕は彼らがいつまでも意思決定権を持っているのは問題だと思っています。日本を代表する名経営者であっても、高齢になれば、判断を間違える可能性が高くなるからです。

会社という枠組みの中でも高齢化は問題になっているのです。「世代交代をどう進めるのか」というのが、日本企業の大きな課題の一つだと言えるでしょう。

なぜ、日本に「革命家」が現れないのか？

ここまでに見てきたように、日本では高齢化が急速に進んでいます。それに伴い、国全体のエネルギーも低下していっているように思えてなりません。

２０１７年、第25代フランス大統領にエマニュエル・マクロンが選出されたとき、その若さが話題になりました。

１９７７年生まれのマクロンは、当時まだ39歳。１８４８年に40歳で就任したナポレオン3世を抜いて、最年少大統領となったのです。

若いリーダーが国を引っ張っていく様子に「日本にはどうしてそういうリーダーがいないんだ……」と嘆いている人も少なくないでしょう。実は、その理由を示しているデータがあります。

世界の**「年齢中央値」**について見てみましょう。

全世界の年齢中央値（２０２０年推定値）は31歳となっています。

日本は48・６歳で、先進国の中でもダントツの高さを示しています。

対して、フランスは41・７歳と、ＥＵ全体の中央値44歳と比較しても若いほうなのです。アメリカはさらに若くて38・5歳。

日本は、フランスより約7歳、アメリカより約10歳も年齢中央値が高いわけです。

この違いは、まさに国民のパワーとなって現れます。

選出当時は熱狂的に受け入れられたマクロン大統領ですが、打ち出した政策によって、やがて反発も買うようになりました。

その結果起きたのが、39ページでも紹介した黄色いベスト運動です。この運動をきっかけに、路上の車に火をつけたり、店を破壊したりといった暴動も起きました。マクロン大統領はこの抗議に応え、最低賃金の増加など総額100億ユーロの手当を国民に約束しました。フランス国民の起こしたデモが、政府を動かしたのです。

こういった**「自分たちの国を変えよう」というエネルギーのようなものが、社会を変革することがあります。**

日本が近代国家に生まれ変わるきっかけをつくったのは明治維新です。今になって検証すれば、明治維新は日本にとって非常に意味のある変革であったことは間違いありません。

この変革の中心人物であった坂本龍馬や木戸孝允《たかよし》、西郷隆盛などは当時まだ30代でした。

近いところでは、1960年代の学生運動もかなり激しいものでした。当時の学生は「何かを変えたい」というエネルギーを持て余していたのでしょう（そうした彼らが、今は高齢者として人口の大部分を占めているのは皮肉なことですが……）。

このように日本にも、変革につながるような大きなエネルギーに満ちている時代があったのです。しかし、現代の日本では高齢化が進み、そうしたエネルギーがなくなってきています。

ミレニアル世代が中心となって設立したシンクタンクPublic Meets Innovationがまとめたデータによると、世界の首相の平均年齢は52歳であるのに対し、日本の首相の平均年齢は62・38歳と、10歳もの開きがあります。国を背負って立つリーダーも高齢化が進んでいるのです。

フランスでは、若者の大きなエネルギーに押し出されるようにしてマクロン大統領が生まれましたが、若者が少ない日本ではそうしたリーダーが生まれにくいわけです。

高齢化でさまざまな問題が起こり、一刻も早く手を打たなくてはならない状況なのに、国全体に改革を起こすエネルギーがない。それが日本に蔓延している「閉塞感」の原因なのではないでしょうか。

Chapter 2

仕事

「モンダイ」を抱えてがむしゃらに働く人たち

仕事のムダ、会社のムダ

「ペタンク界のイチロー」を襲う悲劇

フランスでは、「ペタンク」というスポーツが老若男女に愛されています。目標の球に向かって鉄のボールを投げる球技で、ルールはカーリングに似ています。

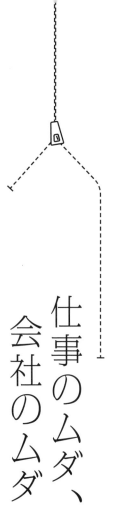

1910年にラ・シオタという南部の港町で生まれ、今ではフランス全土500万人の愛好者がいると言われています。

しかしながら、およそ日本には浸透していません。やったことがあるという人は少ないのではないでしょうか。だから、いくら日本人がペタンクの面白さに目覚め、その技量を上げたとしても、ペタンク一本で生きていくことはできません。

もし、ペタンク界にイチローさんのような才能と能力を持った選手が現れても、競技自体の知名度が高くなく、マネタライズ（収益化）もできていないので、成功は難しいでしょう。

一方で、野球やサッカーなら違います。日本社会に、それらに関するビジネス構造が存在しているので、お金も名誉も手に入れられるわけです。

結局のところ、同じように何かを極める努力をしたときに、その成果物を受け入れる構造が社会にあるかどうかによって、手にできる果実はまったく異なるのです。受け入れてもらえれば成功者になれるし、そうした土壌がなければ、よくわからないことをやり続けた狂気の人で終わります。

このように、**僕らが生涯に手にできる報酬は、能力よりも「何をやったか」「どこで始めたか」で決まる**と言っていいでしょう。日本でならペタンクよりはハンドボールがいいけれど、ハンドボールよりも野球のほうが成功の確率も、成功の度合いもうんと高くなります。

今の世の中は、一握りの成功者とその他大多数で構成されています。

では、その一握りの成功者だけが特別に優秀なのかというとそんなことはありません。能力だけで考えたら、大多数のほうにもすごく優れた人がたくさんいます。

でも、彼らは成功できない。なぜかと言ったら、優れた能力を生かす場所を間違え、ペタンク界のイチローになろうとしているからです。

能力は、それを生かす場があってこそ価値を創出します。その生かされ度合いこそが重要なのであって、多くの場合、実は能力の高さ自体はたいした問題ではありません。

たしかにイチローさんは秀でた能力の持ち主であり、努力の天才でもありました。ただ、歴史に残るような偉業を成し遂げられたのは、「活躍の場を間違えなかった」という大前提があったからなのです。

一方で、僕のように**「たまたまマーケットのあるところにいたから」というだけで成功者の一人に数えられてしまうケースもたくさんあります。**

最初は「なんだかよくわからないことをやっているな」程度に思われていて、かつ、本人もたいした目的意識があったわけでもないのに、あるときから大きなマーケットが誕生し、社会が一気にその成果物を受け入れるようになることがあります。

すると、僕のような人間でも高い下駄を履かせてもらえるわけです。

僕の場合、ＩＴ業界が、ちょうど伸び盛りだっただけで、勝手にマーケットのほうが広がってくれました。もし右肩下がりの出版業界にいたら、まったく違った状況になっていたはずです。


伸び盛りの業界にいたという理由だけで成功した人は、あたかも能力があったかのように後付けの理由を口にするでしょう。

でも、実際のところは、そんなに立派なものじゃないはずです。

YouTuber のマネジメントを行っているＵＵＭ（ウーム）の創業者鎌田《かまだ》和樹《かずき》氏は、自身の会社がうまくいっている要因について、「需給が合っていたから」「風が吹いていただけ」と、たまたまマーケットがあったからだと述べています。

ただ、そんなことを言える経営者はほとんどいません。たいていが、うまくいったのは、個人の才能や努力の結果だとアピールします。「どんな境遇でも、頑張れば報われる」という美しい物語を見せたがっているのでしょう。

僕からしてみると、個人の振る舞いよりも、もっと大きな流れに影響を受けたと話す鎌田氏のほうが明らかに正しいし、誠実だと思いますが、世間の人たちは、成功者のつくられた物語のほうをありがたがっています。

多くの場合において、成功者は「ただそこにいたから」という面白みもない理由で誕生します。でも、本当の成功話を語る人がほとんどいないため、人々は相変わらず才能や努力を賛美しています。

逆に、一生懸命努力をしているのに、なかなか成果が出ないという人は、活躍の場を間違えている可能性があります。せっかくの努力をムダにしないためにも、「どこで頑張るか」を一度きちんと考えてみるべきなのです。

自分から進んで〝残業したがる〟人

会社で一番ムダなものは何か。「必要のない残業」と言うと、多くの人が納得するのではないでしょうか。

2017年にスマートワーク総研が、会社員・公務員1万人を対象に残業に関するアンケート調査を行いました。

いくつかの設問のうち、「なぜ残業をするのか」の理由について、1位が「生活費を増やしたいから」だったことが、ネットの炎上を呼びました。

「そんなヤツらがいるから会社が残業代を出さなくなるんだ」

「まさに給料泥棒そのもの」

「そんな残業をするくらいなら副業でもしたほうがいい」

こんな批判が相次いだところを見ると、多くの人にとって、この結果は相当、衝撃的だったみたいです。

でも、そもそも僕らが仕事をするのは生活費を稼ぐためです。

僕もかつていろいろな仕事をしましたが、実は残業は好きでした。というのも、時給ベースで考えると25%増しくらいになるので、少ない時間で稼ぎを増やすことができるからです。

そういう人は僕だけじゃないでしょう。調査の結果を見る限り、残業代をもらおうと、仕事をする振りをしながらネットサーフィンをしたりして、遅くまで会社に残っている人はかなりいるはずです。

会社からしてみると、「生活費を増やすため」にだらだらと働く社員に残業代を払うのは100％ムダな人件費でしょう。

最近は、経営者による社員の「働かせすぎ問題」がよくメディアに取り上げられていますが、**社員たちが自分から必要もないのに「働こうとする問題」もまた根が深い**のです。

しかも日本では、残業していると上司や同僚から「あいつは遅くまで頑張っているな」と評価をされます。「とにかくがむしゃらに働くことに意味がある」という発想なのでしょう。

つまり残業していると、稼ぎも増えるし、いい評価も得られるしで、まさに一石二鳥なのです。これでは、いかに働き方改革を唱えようとも、残業が減るはずがありません。

「生活費を増やすため」に残業する人はもちろん問題ですが、僕は、真面目に残業している人たちにも問題があると思っています。

「なぜ残業するのか」の理由、2位は「担当業務でより多くの成果を出したいから」

というものでした。

「生活費を増やすため」という理由を批判する人は、こういう「前向きな」理由なら認めるのかもしれません。少なくとも、こちらの理由のほうが「許せる」範囲なんじゃないでしょうか。

ここで、ちょっと考えてみましょう。

「担当業務でより多くの成果を出すため」に残業するというのは、「時間をかけた分だけ、仕事の成果は上がる」という前提があるのでしょう。しかし、これは間違いだと僕は思います。日本が伸び盛りだった高度経済成長期からバブル期であれば、やればやるほど成果は出たのかもしれませんが、成熟した現代の日本社会では、単に時間をかけるだけではダメです。自分なりの工夫やアイデアを加えた仕事が必要になってくるのです。

それに、残業を繰り返していると、だんだん疲弊して、頭が働かなくなってしまいます。そんな状態でいくら働いたところで仕事の効率は上がりません。

「担当業務でより多くの成果を出すため」に残業するというのは、前時代的な価値観による働き方です。

それよりも、自分のやるべき仕事を定時内にきっちり終わらせて、オフの時間にリフレッシュをし、冴えた頭で仕事に取り組んでいる人のほうが会社にとっては価値が高い人だと言えるはずです。

「おじさん」に振り回される組織

2018年5月5日付けの朝日新聞に『お金の若者離れ』現実知って」という投書があり、それに対してネットで大論争が起きました。

投書は20歳の大学生からのもので、昨今盛んに言われている「若者の旅行離れ」「若者の車離れ」といった現象の根底にあるのは**「お金の若者離れ」**ではないかと提言していました。要するに、若者はお金がないから、気軽に旅行に行ったり車を買ったりできないのだと訴えているのです。

たしかに、2016年の調査では、20代前半の平均年収は約258万円。月収15万円くらいでやりくりしている人もたくさんいます。

ところが、この投書に対し、ネットで中高年から「今の若者は甘えすぎている」という意見が多数寄せられました。高度経済成長期に高い給料を取っていた中高年は、すぐに「今の若者は夢がない」と口にしますが、その延長でしょう。

そこで、ある若者が「甘えているというなら、月収15万円で生活してみろ」と反論すると、今度は「大卒で月に15万円しか取れないのか」「だったら転職しろ」と、現状をまったく理解できていない反論が返ってきたのです。

単純に「自分たちが経済が上り調子の時期にサラリーマンをやれただけ」なのだということを理解していないおじさんは、すぐに現実を無視した説教をします。「俺たちが若い頃は親に金なんてもらわなかった。学費もバイトで稼いで、遊びにだって行っていた」などと主張しているのです。

2014年時点の大学の平均的な学費は、年間で私立86万4000円、国公立53万5000円にも上ります。対して、おじさんが大学生だった頃（たとえば1975年）は、私立約18万円、国公立約3万6000円です。

物価の違いを差し引いても、おじさんたちのほうがはるかに甘くやってきたのです。これなら、バイトのお金で学費だけでなく、中古車代くらいはまかなえたでしょう。

一口に言って、あの頃と今では「時代が違う」。若者たちはそのことをよくわかっています。一方、わかっていないおじさんは、いつまでも古くさい過去の価値基準でものを考えます。

困ったことに、これは会社などの組織内でも同様です。60ページでも述べたように、**多くの組織で旧時代的な考えの人たちがまだ上の立場にいるために、数々のばかげた不条理がまかり通っています。**

そんな状況に一石を投じる会社が現れました。

ソーシャル経済メディア「NewsPicks」を提供する株式会社ニューズピックスが、2018年6月26日付けの日本経済新聞に**「さよなら、おっさん。」**というメインコピーを入れた広告を出稿したのです。

日本企業はこれまでずっと、きわめてドメスティックな中高年男性の価値観および、それによってつくり出されたシステムで動いてきました。そのため、女性や若者の感性、グローバルな視点を取り入れることができず、競争力を失っていきました。

そうした悪弊を一掃しなければならないと警鐘を鳴らす目的が、この広告にはあったのだと思います。

もっとも、ここで言う「おっさん」は年齢で区切れるものではありません。若くても骨の髄まで「おっさん化」している人もいれば、女性にも「おっさん」はたくさんいます。

そうした人たちは、無自覚のままに「おっさん化」しているため、自分が世の中の変化に取り残されていることにまったく気づきません。それどころか、相変わらず「俺の（私の）考え方が、日本社会の大多数を占めている」と思っているわけです。

「おっさん」と一括りにして、旧時代的な象徴として扱ったこの広告には、「対立を煽ることで社会を分断させようとしている」などといった批判も寄せられ、炎上のような状態になりました。しかし、僕は広告自体のメッセージは正しいと思います。

たくさんの「おっさん」が押しつけてくる不条理に振り回される若者たち。これが日本社会の現状なのです。

これからの働き方について話そう

AIが変える「10年後の仕事」

富国生命保険がIBMの「Watson」を導入して話題になりました。Watsonは自然言語を理解、学習し、人間の意思決定を支援するシステムで、IBMは「拡張知能」と位置づけています。

それによって富国生命は、支払い査定業務の効率化を図り、該当部署の3割に値する人員削減に成功しました。

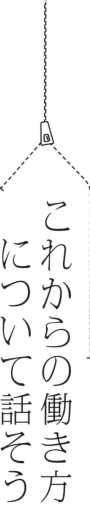

もちろん、「成功」というのは、3割の従業員の仕事がなくなったということです。

これは富国生命に限ったことではなく、多くの企業が**「AI（人工知能）」**を導入することで人員削減を図っています。

メガバンクは、ここ数年、数千から数万の人員削減を進めていますが、金融機関として業務に支障をもたらすことなくそれができるのは、ＡＩの存在があってこそなのです。

実際、三井住友銀行は日本マイクロソフトと共同で対話型ＡＩによる自動応答システムを開発し、手続業務の窓口として活用しています。この流れはこれからさらに加速していくでしょう。

それにしても、大変な時代になりました。保険業界や金融業界は「安定して高給が受け取れる」という理由から、就職を控えた大学生たちから不動の人気を誇ってきました。有名大学の優秀な学生がこぞって就職したのに、そんな彼らが「ＡＩがあるから君たちはいらない」と言われているのです。

ＡＩは、就業時間に関係なく人間の何倍も働いてくれる上、福利厚生も必要ない。経営者の立場から見ると、前のめりで導入したくなるほどのメリットがあるのです。

おそらく、今になって仕事を奪われつつある「優秀なホワイトカラーたち」は、かってこう考えていたことでしょう。

「AIが導入されれば、面倒な仕事を代わりにやってもらえる。私たちはその恩恵を受けられるはずだ」

しかし、実際に最も苦渋をなめさせられるのはこういう人たちです。

年収300万円のブルーカラーもたしかに仕事を失うかもしれない。でも、年収800万円だったホワイトカラーも同様にお払い箱になります。保険会社の支払い査定業務のような、典型的なホワイトカラーの仕事も、人間でなくともできる時代になったのです。

また、AI以外にも、RPA（Robotic Process Automation）という技術は、その認知機能によって請求・精算など金銭にまつわる重要な事務仕事もいとも簡単にこなします。

過去にも、技術革新によって多くの「人手」がカットされてきました。たとえば、農耕機の出現もその一つです。

ただ、AIはそれらとは次元が違います。これまでは、頭のいい人や技術のある人の仕事はさほど減らずにきましたが、今後はそういう人たちも必要とされなくなります。彼らとＡＩは、得意分野がもろにカブっているのです。

２０１５年に、野村総合研究所が発表した研究データは人々に衝撃を与えました。そこでは、**今ある日本国内の６０１の職業について、２０３０年にはその49％がＡＩやロボットにとって代わられる**と報告がなされました。

ちなみに、イギリスでは35％、アメリカは47％とされ、とくに日本のビジネスパーソンが危機的状況に置かれていると指摘されました。

ただ、当時はそれなりに話題になりましたが、まだ「15年先」のことでした。それがもう10年以内に迫ってきました。

では、この間に何か特別な準備をした人はどれくらいいるでしょう。たいていは「大変だ」と言っていただけだと思います。

テレビに出ているようなコメンテーターは、なかなか本当のことは言いません。暴動が起きないように嘘をついているのか、あるいは、その人自身が騙されているかのどちらかなのでしょう。

彼らは、あたかも「ＡＩに自分の仕事をさせることで好きなことをして暮らせる世界」が到来するかのように語っていますが、そんな保証はどこにもありません。

AIが人間の能力を超えるシンギュラリティ（技術的特異点）は必ず、しかも近いうちにやってきます。そのときに、自分より有能なAIをどうやって御するのでしょうか。多くのホワイトカラーたちはその方法を持っていません。

では、AIによって人は損をするばかりなのかといったら、そうではありません。ごく一部の人たちは大きな果実を手にします。

AIを活用することでよけいな人件費を支払うことなく経営活動ができるなら、経営陣が手にする報酬はより多くなります。それは株主も同様です。

そうした一握りの人たちはAIのおかげでより豊かになり、大半の人たちはAIのせいでひどく貧しくなる。これが現実でしょう。

「最低賃金が上がる」とアルバイト側が損をする

今、アルバイトをしている人たちは「時給が上がってほしい」と思いながら働いていることでしょう。政治家もそうしたニーズがわかっているからか、選挙の際には

「最低賃金の引き上げ」が公約に掲げられます。

時給が上がれば少ない時間でたくさん稼げるようになるから、最低賃金はどんどん上がってほしい。そう願っている人も多いと思いますが、実はそうなることで雇用される側が被るリスクが2つあります。

1つは、**人件費に圧迫されて経営状態が悪くなり、店や会社が潰れる**こと。とくにアルバイトをたくさん雇って店の回転率を上げ、薄利多売で利益を出しているようなところは、少しの人件費上昇が命取りになります。当然ですが、アルバイト先が潰れてしまえば、今後は1円も入りません。

もう1つが、前述したように、**人間に代わる機械の導入が進む**こと。これまた職を失い、1円も入りません。

エスキュービズムという会社が開発・販売しているセルフレジロボットが最近注目を浴びています。特徴は破格の値段です。現金、クレジットカード、電子マネーに対応できて1台100万円から150万円という低価格なのです。

仮に、レジのアルバイトを時給1000円で雇用している24時間営業の店舗を考えてみると、このロボットを購入しても50日程度で元が取れてしまうことになります。しかも、これは現時点の価格での話なので、導入が進み、スケールメリットでロボットの価格が下がれば、さらに手軽に購入できるようになります。

ロボットならどんなに長時間労働させてもブラック企業だなんて文句は言われないし、働き方改革に頭を悩ませる必要もありません。

実際に、フランスではセルフレジの導入がかなり進んでいます。たいていのマクドナルドには、日本のように受付をしてくれるスタッフはおらず、入口近くに並んでいるタッチパネルで注文も会計も済ませます。

こうすることで、雇う必要があるのは調理スタッフだけになります。つまり、従業員一人あたりの生産性が高く保たれているのです。

フランスの最低賃金は10・25ユーロ。日本円でだいたい1390円くらいと日本よりも高く設定されています。そのため、マクドナルドのような大手企業では、自動化・省力化を進めています。

このように、**最低賃金が高くなると、人間を雇わなくて済むように、機械の導入が**

進んでいってしまうのです。

では、個人経営の商店や飲食店はどうかというと、これらは家族経営が多くを占めています。労働法が厳しいフランスでは最低給与が高く解雇もしづらい仕組みになっているので、小さい店舗は若者を積極的に雇っていません。

こうした事情から、フランスでは25歳未満の5人に1人が失業中という有様です。今、厳しすぎる労働法を改正しようという動きがありますが、一方でそれに反対するデモも各地で起きています。

高い時給は欲しいし、労働者の権利は守りたいけれど、そうすることで自分たちに仕事が回ってこない。そういうジレンマに陥っているわけです。

ちなみに、フランスにもアルバイトの時給が上がることを素直に喜んでいる人もいます。それは、コンビニエンスストアなどの近隣で営業しており、かつアルバイトを雇わない家族経営の店です。

彼らは、ライバルであるコンビニが、アルバイトの時給に苦しんで経営困難に陥ってくれれば助かるわけです。

これは、フランスに限ったことではありませんが、誰かが得をすれば誰かが損をし、またその逆もありというのが世の中のルールです。

全員が得をするなんてことはありえないのです。一見、誰もが得をするような提言や政策であっても、その裏で損をしたり、辛い思いをしたりする人がいないかを考えてみてください。

もしかすると、被害を受けるのはあなた自身かもしれないのですから。

超有名企業の「ゾンビ化問題」

個人だけではなく、多くの会社もまた岐路に立たされています。

「TBTF問題」をご存じでしょうか。TBTFは「Too Big To Fail」つまり「大きすぎて潰せない」企業のことを指します。

アメリカの投資銀行リーマンブラザーズが倒産したとき、世界は未曾有《みぞう》の金融恐慌に陥りました。このときアメリカ政府は金融機関に対して3兆ドルを投入して救済を行いました。

もちろん、民間企業を国の税金によって救済することに大きな反発や批判がありました。しかし政府は、世界的な影響力を持つ金融機関が倒産することで、経済が混乱するリスクをなんとしても避けようとしました。

まさに**「大きすぎて潰せなかった」**のです。

リーマンショックから3年後の2011年から、G20においてG-SIB(Global Systemically Important Bank)がリストアップされるようになりました。要するに、「規模が大きすぎて潰したら大変なことになる銀行リスト」がつくられたのです。

リストには、全部で29の銀行の名前が挙げられています。そこには、日本のメガバンク三行（みずほ、三菱UFJ、三井住友）も載っています。だから、これら三行は易々とは潰れません。

しかしながら、「潰れないんだったら、こういうところに就職していれば安泰だ」というわけではありません。金融機関はどこも業績を落としています。

業績は下がっているのに、図体ばかりでかくなったことで潰れない。そんな組織が、今後躍進を遂げるとは思えません。

躍進できないけれど潰れるわけにはいかないとなったら、人を切っていくしかありません。実際に、銀行はどこも激しい人員削減を進めています。今の時代、安泰を望んで銀行に就職するのは賢い選択とは言えないでしょう。

就職を控えている大学生に人気の企業ランキングで、2020年卒の文系学生が選んだ第1位はＪＴＢでした。でも、ＪＴＢは2019年3月期決算で過去最大の赤字を出しています。新型コロナウイルス感染拡大の影響を受けていない時点ですでに赤字なのです。

今は店舗型の旅行代理店より、オンラインの旅行代理店を使ったほうがずっと安く済みます。ＪＴＢのような会社は今後かなり厳しいと思うのですが、ランキングの1位になるとは驚きです。その時点で、この調査に回答した大学生の多くは、将来性などは考えず、「知名度の高い会社」とか「世間体のいい会社」を選んでいることがわかります。

そして、僕はこのランキング内の会社に入るのはリスクが高いと考えています。人気の企業には、世間のイメージや給与の金額で会社を選んでいる学生が多く入社してきます。彼らは「どういう仕事がしたいのか」という基準で会社を選んでいないので、モチベーションが低い傾向にあります。

会社内がやる気のない人ばかりになったらどうなるか。それは火を見るより明らかでしょう。**今、人気企業ランキングに入っている会社は長期的に見ると、衰退していく可能性が高い**のです。

大手銀行などの大企業に入っていれば安泰だったのは、日本が成長を続けていたからです。経済の成長期であれば、資本力があるほうが有利なので、名の知れた会社に入ればいい思いができたでしょう。

でも、今はまったく状況が違います。親が喜んでくれるような歴史のある会社であっても、時代の変化に対応できていないところはたくさんあるのです。

そもそも、日本人は大企業に対して間違った思い込みをしています。「あの会社が潰れてしまったら日本は大変だ」と悲観的に考え、国が救済に入ることを望むようなところがあります。

典型的な例として、東京電力もＪＡＬも、僕らの税金によって救済されました。そのことに文句を言う人はあまりいません。

では、これらの会社がなくなると、本当に困ったことになるのでしょうか。たしかに、大企業が潰れると、一時的にたくさんの雇用が失われることになります。ただ、もともとうまくいっていない会社なのですから、社内の雰囲気は悪く、仕事も面白くないでしょう。

そんな環境で働き続けることが正解だとは僕にはとても思えません。

むしろ、**一度市場から退場させ、そこに勤めていた人は新たな職場で活躍してもらったほうが社会のためになる**はずです。

こういうことを言うと、「失業したあとに、仕事が見つからなかった人が路頭に迷ってしまうじゃないか」と反論されることがありますが、そういう人を助けるのが失業手当であり、生活保護です。

国がやるべきなのは、潰れそうなダメ会社を延命させることではなく、生活が困窮している国民に十分な援助をすることなのです。

自分たちの給与や企業年金を高くしすぎて潰れていったＪＡＬ。そんな会社を助け、あげく優先的に空港の発着枠を与えていたために、若いＬＣＣの企業が躍進するチャンスが奪われました。これを日本社会の損失と言わずして何でしょう。

まるでゾンビのように無理やり存続させる「謎の延命装置」によって、大きいというだけで問題のある会社が助けられている。これが日本のビジネス界の現状です。

こうした**「大企業優遇志向」からどこかで脱却していかないと、僕ら日本人はいつか大きな代償を払うことになる**でしょう。

「働き方改革」で社会は変わる？

会社も個人も得をしない「全体主義」

２０１６年、大手広告代理店の電通は、女性社員の過労自殺が社会問題化したことをきっかけに、残業時間の見直しを図りました。

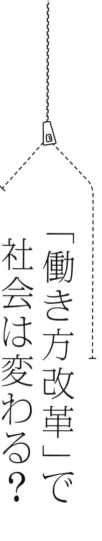

その一環として、22時以降は本社ビルをはじめ、すべての事務所を消灯させる措置を執りました。「電気がつかないのだから残業はできない」という会社サイドのアピールもあったのでしょう。

しかし、電通では、クライアントファーストで仕事をしているために、実際には22時以降もどこかで打ち合わせや接待は行われており、かえってサービス残業が増えるだけではないかという危惧の声も上がりました。

実際、22時以降、電通の本社ビル周辺のカフェは持ち帰り仕事をする社員だらけになった、なんて話も聞きます。

それにしても、なぜ一斉消灯なのでしょうか。大企業であるが故に個々への細かい対応は難しいなどの事情はあるでしょうが、あまりに全体主義的な対応です。

僕の知る限り、電通には「働きたくてたまらない」社員が大勢います。彼らにとって、22時なんて、まだまだ早い時間帯です。

そうした価値観は一人ひとり違っていて、それぞれがしたいようにすればいいのです。それを一律に押さえ込んでしまっては、会社も社員も得をしません。

そもそも、**「働き方改革」**という発想自体が全体主義そのもの。**働き方なんて、会社と社員の間で決めること**です。

電通で起こった過労自殺は上司からの過度な仕事の押し付けが原因だったようですから、そうした「個人の意思を無視した過重労働」はなくしていかなければなりません。

しかし、その解決策として、働きたくてたまらない社員も含めて、全員の勤務時間を抑制するというのは、どう考えても効率的ではないでしょう。**働きたい社員には働ける環境を用意しつつ、過度な業務を強いられている社員がいないか、チェックできる体制をつくっていくべき**でしょう。

全体主義に陥っている今の働き方改革は、「あまり働きたくない人」を幸せにするだけのものになってしまっています。

厚生労働省が作成したパンフレット（「働き方改革〜一億総活躍社会の実現に向けて〜」）にも、「『働き方改革』は、働く方々が、個々の事情に応じた多様で柔軟な働き方を、自分で『選択』できるようにするための改革です」と書かれています。なのに、具体的な改革の内容は「残業時間の上限規制」と、途端に全体主義的なものになっているのです。

僕は決して「日本人はもっと働くべきだ」などと言いたいわけではありません。**一人ひとりが自分で働き方を選べるほうがいいのではないですか、という話です。**がんがん働きたい人は体の持つ限り残業すればいいし、僕みたいに、できるだけ働く時間を減らしたいと思えば、定時で帰ればいい。自分で決めた働き方であれば、納得して仕事に取り組めるでしょう。

そういう環境を実現することこそが、真の「働き方改革」のはずです。

日本人の全体主義は、大震災などが起きたときの秩序維持にはいい方向に働きます。でも、ビジネスではそうじゃない。全体主義は多くの場合イノベーションを阻害します。

新しいものをつくり出すのは、いつの時代も、全体主義ではコントロールできないような狂気を持った人です。

僕は、そういう狂気の人に憧れているし、彼らがつくり出したものを面白がっているけれど、僕自身に狂気はない。僕は他人の考えたものについて説明するのは上手だけれど、誰も思いつかないことを生み出すことはできないタイプです。

ただ、間違いなく言えるのは、経済を発展させるためには、狂気の人と僕のようなタイプの人が両方必要だということです。

それぞれが、自分のやり方で個性を発揮していくことが重要なのに、全体主義で一律に押さえ込んでしまえば、何も生み出せません。

「いいブラック企業」が生き残る

電通は、女性社員の過労自殺があった翌年に「ブラック企業大賞」に選出されました。

ブラック企業大賞は、過酷な労働環境を社員に強いている企業や団体がいくつかノミネートされ、最終的に「最もブラック」だったところが投票で選ばれるというものです。

受賞企業には賞状が贈られますが、当然、多くの企業が欠席するため、主催者側が立てた代理人がそれを受け取るというシュールな光景が展開されます。

ノミネート理由も細かく説明されるので、企業にとってはたまったものではないでしょう。

これまで、トヨタ自動車、ＫＤＤＩ、セブン-イレブン・ジャパンなど、日本の名だたる大企業および自治体が次々とやり玉に挙げられてきました。ちなみに、三菱電機は2年連続で大賞に選ばれたことがあります。

もともと「ブラック企業」とは、反社会的勢力とビジネス上のつながりを持っている企業を指していました。

しかし、今はもっぱら、サービス残業の強要やパワハラなど従業員に不法な行いをする企業について使われるようになりました。

日本労働組合総連合会が行ったアンケート調査によれば、正規労働者であっても、4割強が「残業代の不払いがある」と答えています。

また、「自分の勤務先はブラック企業だ」と考えている人は若い世代ほど多く、20代では3人に1人に上っています。

働く側の実感としては日本はブラック企業だらけなのです。たしかに、労務管理がしっかりしているはずの大企業が毎年ブラック企業大賞を受賞していますから、ワンマン経営者の多い中小企業などは推して知るべしという感じかもしれません。

日本では、いまだに新卒一括採用が行われています。まだどんな能力があるかもわからない大学生に内定を出し、入社後はＯＪＴ（職場内訓練）で給料を与えながら仕事を教えています。この段階では、企業の収支は明らかにマイナスです。新入社員が戦力になるまで、会社全体で支えなければならないので、他の社員にしわ寄せが行きます。

その結果、多くの人が「この会社はブラック企業だ」と思うような労働状況になってしまうのでしょう。

でも、そうして最初にぬるま湯につけることで、社員は自分の能力について正しい判断がしづらくなるのでなかなか外へは出て行かず、多少、ブラックであってもずっと会社にいてくれるという利点があります。

一方、他の国では基本的に新卒一括採用という概念はなく、スキルで採用します。その分、応募する側は自分でスキルを磨かなくてはなりません。だから、経験の浅い若い人にとって就職は簡単なことではないのです。

その反面、みんな自分の能力がわかっていますから、転職や独立という行動も的確に取れるようになります。

こうして見てみると、自分の勤め先をブラック企業だと感じつつ、それでも辞めないというのは、いかにも日本人らしいという感じはします。新卒一括採用と終身雇用により、一つの会社がある種の生態系を構築し、外部と隔絶された環境になっているのです。

僕は、本当のブラック企業はだんだん駆逐されていき、**「いいブラック企業」が残っていく**と考えています。

GAFAのような巨大IT企業は、高い給料を払って優秀な人材をかき集めることで大きく成長してきました。しかし、日本ではそういうビジネスモデルは少なく、前述したように、新卒で採用した人たちを育て、そこそこの業績を上げるという道を選んでいます。

それがブラック企業につながっていることは先にも述べましたが、いい立ち位置を確保している企業もあります。

たとえば、ずっと同じような商品をつくり続け、最低限の利益を確保し続けているような会社です。こうしたビジネスは、大儲けできるわけではないため新しく参入してくるライバルもなく、なんとなく社会の中で立ち位置を確保できます。

だから、職場にキリキリした雰囲気がなく、従業員は居心地よくいられます。給料は安いし残業代もあまり出ないけれど、「社長もいい人だし、多少のサービス残業くらいしてもいいか」と社員が納得して働いている。

そうしたいいブラック企業なら、社会から批判されることもなく、今後も残り続けていくでしょう。

フリーランスは「未来の働き方」の実践者

ブラック企業だらけの日本で会社員として働くのはリスクが大きすぎる——。そう考える人は、今いる会社から独立して**「フリーランス」**として働くことも選択肢に入れているでしょう。

２０２０年にランサーズが行った「フリーランス実態調査」によると、フリーランスで働く人は１０３４万人と、労働人口の約15％を占めています。

フリーランスは、自由度高く働けて、その内容しだいでは高い収入も得られますが、非常に不安定です。そのため、「仕事があるうちに稼がなくては」と頑張りすぎてしまう傾向にあるようです。

糸井重里氏は、フリーランスについて「ひとりブラック企業化しやすい」と指摘しています。


先ほどのブラック企業大賞からもわかるように、企業の「働かせすぎ」に対する世間の目はかなり厳しくなっています。社員がSNSを使って会社の内情を匿名で告発する事例も増えてきています。

このような状況が続くと、ブラックな体質の企業は「外注」に頼らざるを得ません。そのとき、下請け企業などに発注すると、これまたリスクがありますから、標的になるのは「フリーランス」だと僕は思っています。つまり、**企業が「ブラック的な仕事」をフリーランスに押しつけるようになっていく**のです。

フリーランスは、基本的に成果物を納めることで対価が受け取れます。そこにどのくらいの時間がかかったかは、発注側の企業のあずかり知らぬところです。

「この仕事を3月中に仕上げてください」と依頼したときに、どれほど長時間働くことになったかについて勘案しないで済むので、無理な仕事を下ろしていくということが行われてしまうのです。

また、フリーランスで仕事を取っていくためには、「自分は他より能力が高い」あるいは「自分は他より費用が安い」のどちらかを示していく必要があります。そのときに、後者であれば当然、徹底的に買い叩かれます。

ただ、**フリーランスは、すべての人たちの働き方を考える上で、今後、注目すべき存在となる**のは間違いありません。

前出の糸井氏も、現在のフリーランスについて「あらゆる働き方の実験をしている」とも述べています。

上手に休んだり、ちょうどいい量の仕事をしたりということが、どの程度のラインで可能になっていくのか。みんなが知りたがっているところですが、それは会社に勤めている人たちよりも、フリーランスのほうがつかみやすいのです。

僕が96ページで述べた「一人ひとりが働き方を選ぶ」のも、フリーランスなら容易です。会社員の人たちにとっては、彼らの働き方が数年後の自分の姿になる可能性もあります。

たとえば、新型コロナウイルスの感染拡大を受けて、ほとんどの会社でリモートワークが始まりましたが、フリーランスの中には、もともとリモートワークに近い働き方をしている人が多くいました。

これから会社に勤めている人たちがどんな働き方にシフトしていくか。フリーランスの人たちを参考にすれば、その答えが見えてくるかもしれません。

Chapter

3

教育

「謎の慣習」に従い続ける人たち

「遺伝」と「知能」の真実

〝努力すれば報われる〟の残酷さ

教育社会学を専門とするお茶の水女子大学の耳塚寛明《みみづかひろあき》教授（現青山学院大学コミュニティ人間科学部学部特任教授）が、首都圏に住む約1200名の小学校6年生とその親について調査を行っています。そこでは、親の経済力と子どもの学力の関係を探っており、次ページの表のような結果が出たそうです。

これを見ると、一つの真実が浮かび上がってきます。**親の収入が多いと、子どもはよく勉強し成績もいい**のです。

耳塚教授は、他にも興味深い指摘をしています。それは、子どもの教育に対する親

算数の学力テスト（100点満点）の結果と保護者の年収

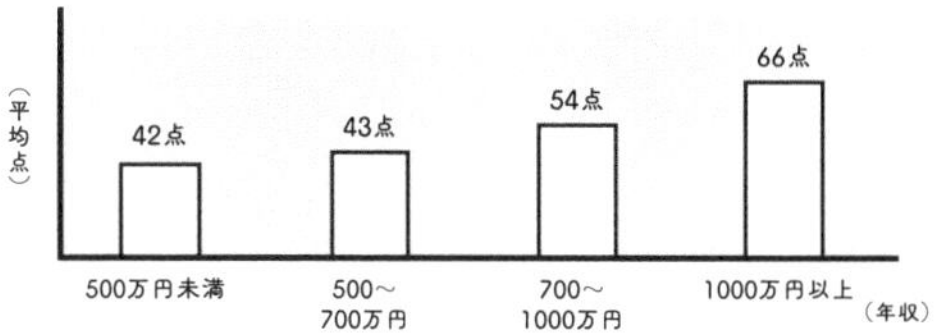

家庭での学習時間と保護者の年収

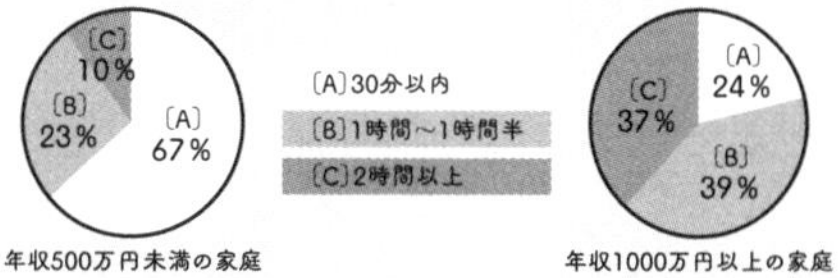

出典：「Japan Education Longitudinal Study 2003」

の期待値が高いほど、子どもの学力も上がるということです。

成績が一番いいのは「大学院まで進んでほしい」と期待している親の子どもで、次が「大学まで」、続いて「専門校・短大」までとなっています。

面白いのは、「高校まで」と「中学校まで」にはほとんど差がないどころか、わずかに「中学校まで」のほうが高いのです。

こうした傾向は世界的にも見て取れます。

その中でも社会学者であるアメリカのジョンズ・ホプキンス大学のカール・アレクサンダー博士が行った調査は有名です。

アレクサンダー博士は、ボルチモアの住

人約800人を対象に、小学1年生から20代後半になるまでの約30年間を追跡し、その子たちの生活環境と経済的な成功度合いとの関係を調べました。

その結果、**両親が健在で経済的に恵まれた子どもは成人しても裕福で、親が離婚したりして経済的に苦労した子どもは、ほとんどが貧困層から抜け出すことはできませんでした。**少しの例外として、大学の学位を得た人が28人、比較的高い収入を得られるようになった人が33人いただけでした。

よく学歴は本人の努力しだいで手に入れることができるから、公平に近い指標だと言われることがあります。しかし、実験結果を見る限り、実際には親の収入や周りの環境がかなり影響を与えるようです。

東京大学名誉教授の上野千鶴子《ちづこ》氏は2019年の東京大学学部入学式の祝辞で「あなたたちが今日『がんばったら報われる』と思えるのは、これまであなたたちの周囲の環境が、あなたたちを励まし、背を押し、手を持ってひきあげ、やりとげたことを評価してほめてくれたからこそです」と述べ、大きな話題を呼びました。

上野氏が東大の新入生に向けてこのような発言をしたのは、本人の努力以外に、どのような環境で生きてきたかというのが、学力などにも影響を与えていることを伝えたかったからでしょう。

お金があれば、単純に学費や塾の費用などの教育費をたくさん出せるのはもちろん、子どもにいろいろな機会を与えてあげることができます。

たとえば、小学校の頃に日本の各県の特徴や名産を学びますが、教科書をただ眺めているだけだとなかなか頭に入ってこないでしょう。

それよりも、実際にあちこち旅行に連れて行ってもらい、「青森県は、リンゴの生産量が全国一なんだ。そういえば、青森に旅行したとき、リンゴ狩りをしたな」など と自分の体験に即して学ぶことができれば、記憶に残りますし、学習意欲も湧きます。でも、親にお金と時間がないと、こういう体験をすることができません。

学校の勉強以外に、いろいろな分野で知的な刺激を得られることが、子どもの学力に大きな影響を与えていると僕は思っています。

なかには、貧乏な家庭に生まれながら、学力が高い子どももいます。ビートたけしさんのお母さんは、極貧の中で「教育こそが貧乏から抜け出る道だ」と猛烈な子育てをしたことで有名です。

そして実際、ビートたけしさんと兄の北野大《まさる》さんは大学進学率が30％を切る時代に、二人とも明治大学へと進学しました。とくに大さんは学問の道へと進み、明治大学の名誉教授にまでなっています。

こうした本人の努力によって、テストでいい点を取ったり、いい大学に入ったりするのは、もちろんすばらしいことです。でもそこで、努力すれば必ず報われるとは考えないほうがいい。うまくいかない人に対して、「お前の努力が足りないからだ」と否定してしまうことにつながるからです。

ここまで見てきたように、**学力は環境によっても大きく左右されるので、努力がすべてではないということを意識しておいたほうがいい**と思います。

「東大の子は東大」は正しい

日本学生支援機構が２０１８年に発表した「学生生活調査」によると、大学生がいる家庭の平均世帯年収は、国立で８４１万円、公立７３０万円、私立８３４万円となっています。

また、世帯年収1000万円以上の家庭の割合は、国立29・2%、公立20・3%、私立25・7%です。

かつては、お金持ちの子どもは私立の一貫教育校へ進み、お金がない家庭では大学進学などをあきらめ、その中でとくに優秀な若者は苦学の末に国公立大学を目指すという構図がありました。

しかし、今はすっかり逆転し、**平均年収が高い家庭では、国立大学に進む割合が高くなっています。**

ここでさらに日本の最高学府である東京大学について見てみましょう。

東京大学が行った2017年の「学生生活実態調査」によると、東大生の家庭の平均世帯年収は918万円です。調査年が違うため単純な比較はできませんが、先の「学生生活調査」によると、2018年の大学生がいる家庭の平均世帯年収は830万円となっています。

さらに、教育社会学者の舞田《まいた》敏彦《としひこ》氏が調べたところでは、東大生の親の場合、世帯年収950万円以上に占める割合が62・7%もあったそうです。一般的な45歳から54歳の男性の場合は12・2%ですから、いかに東大生の親がお金持ちかがわかります。

今は国立の年間学費も50万円くらいはかかりますし、そもそも受験に合格するために塾や中高一貫の私立進学校に通ったりしてお金がかかるのです。

お金に余裕がある家庭は、自分の子どもの教育にふんだんに投資できる。そして、親の気持ちにも余裕があるから、子どもの将来についていろいろアドバイスをすることができます。

一方でお金がない家庭は、日々の暮らしをどうするかで頭の中がいっぱいで、金銭的にも精神的にも「それどころじゃない」というのが現実でしょう。

言い方を変えれば、今の東大生の多くは「親の金銭力なくしては東大生たりえない」ということになります。

お金や環境だけではなく、**「遺伝」という面から見ても「東大の子は東大」になりやすい**と言えます。

行動遺伝学を専門とする慶應義塾大学の安藤寿康《じゅこう》教授は、著書『日本人の9割が知らない遺伝の真実』(SBクリエイティブ)の中で、次のような指摘をしています。

・子どもの学力は遺伝に大きな影響を受ける
・青年期のIQの個人差は、遺伝54%、共有環境19%、非共有環境27%によってつくられている

しかも、単純に知能レベルが遺伝するだけでなく、性格的な遺伝要素も大きいというのです。たとえば、コツコツと努力ができる親の子どもはやはりコツコツ努力ができるし、飽きっぽい親の子どもは飽きっぽい。

そうしたことが相まって、高い学歴の両親を持つ子もまた、高学歴になりやすいのです。

かつて某有名私立大学の小学校に子どもを通わせていた僕の知人は、その入試で行われる面接試験についてこう語っていました。

「あくまで子どもの面接という建前だけど、**実は一緒に来ている親を見ているんだよ**」

短い面接時間で子どもの学習能力を見抜くのは無理だし、そのときに多少、学力の差があってもいずれ同じようにできるようになる。だから、子どもを見ても意味がな

い。それよりも、子どもの教育環境を左右する親を見たほうが評価しやすいというのです。

このように、幼稚園や小学校の受験では、当たり前のように、子どもは親の要素で判断されているのです。

「子どものため」に間違う親

「○○禁止」は逆効果を生む

2020年3月、香川県議会が「ネット・ゲーム依存症対策条例」を可決・成立させ、4月1日より施行されました。

そこでは、スマホなどによるネットやゲームの利用について、以下のような家庭内ルールを設けることが保護者の責務として求められています。

・18歳未満は1日60分まで（休日は90分まで）
・小学生、中学生は午後9時以降、高校生は午後10時以降は控える

この条例について当初ネット上では、反対意見というよりは、「こんな条例、成立

するはずないだろう」というような呆れの意見が中心でした。そうしたら、驚くべきことに、そのまま本当に条例として施行されてしまったのです。

あまりに的外れな意見や提言でも、放っておくと、採用されてしまうこともあるのだというのは勉強になりました。みなさんも、おかしなものが出てきたら、どんなにバカらしくても反対しておくことをすすめます。


香川県のパブリックコメントには異例の2600を超える意見が寄せられ、多くが条例制定に賛同するものだったと言います。

ただ、ウェブメディアの「ねとらぼ」が検証したところによると、反対意見は長文のものが多いのに対し、賛成意見の多くは同じ文章、同じ書体のものが頻繁に出てきていたり、賛成意見の7割近くが2日間で一気に送られてきていたり、いろいろと不自然な点があるようです。このような状況から、同一人物が複数投稿していたのでは？　という疑惑も持ち上がっています。

もともと香川県議会は、ネットやゲームの実態についてきちんと調べ上げてエビデンスがあることを言っているわけではありません。「なんとなく悪そうだ」というところで発案・審議されてしまったことが問題なのです。

たとえば、ネットやゲームによって子どもの視力が悪くなっていて、それにより不都合な事態が生じている、などというのをエビデンス付きで示しているのならばまだ議論の余地はあるでしょう。

しかし、エビデンスを示さずに、一律に規制されたのでは納得はできません。親たちだって、自分の子どもから「何で急にそんなルールができたの？」と問われても、答えに困ってしまうでしょう。


成立までのきな臭さも問題ではありますが、ここでは、ネットやゲームを「禁止する意味」について考えてみたいと思います。

そもそも、**子どもに何かをやめさせようと思ったときに、禁止するのは逆効果**なのです。

僕自身そうでしたが、「ダメ」と言われるとよけいにやりたくなるものです。

これを、行動心理学では「**カリギュラ効果**」と呼びます。１９８０年に公開された「カリギュラ」という映画があまりにも過激な内容だったために、一部地域で放映が禁止され、よけい話題を呼んで人々が見たがったことに由来しています。

逆に、禁止しないで好きなだけ与えると、かえって興味を持たなかったりします。僕の知人にゲーム開発者がいますが、彼の家には最新のものも含めゲームがわんさか溢れています。まさに、ゲーム好きにとっては夢のような環境です。ところが、彼の子どもたちはほとんどゲームに興味がありません。むしろサッカーに夢中で、学校から帰るとすぐに外に飛び出していってしまうそうです。

もし、この子どもたちが香川県に住んでいて、ゲームの利用を制限されたら、カリギュラ効果で、ゲームに夢中になるかもしれません。そんな皮肉な結果にさえなりかねないのです。

禁止することでむしろ逆の結果を生んでしまうのですから、香川県のネット・ゲーム依存症対策条例もナンセンスと言わざるを得ません。

同じようなことは、性的な問題にも言えます。子どもが性的なことに興味を持つことを封じようとすればするほど、逆の方向へ向かいます。

以前、「少年誌にグラビアは必要か」という投稿が、女性向けのネット掲示板に寄せられ、論争が起きたことがあります。

投稿者は小学生の息子を持つ母親。彼女は、自分の息子が読んでいる少年誌に掲載されたグラビアが悪影響を及ぼさないかと心配しているわけです。

共感者もいる一方で、「見せないようにすると、よけいに隠れて見たくなる」「規制してみたところでネットではもっと過激なものが見られる」といった反対意見も多く出ました。

僕自身、第二次性徴を迎える頃は、女性の体や性的なことを知りたくて仕方ありませんでした。同級生が持ってきたエロ本を回し読みしたり、お互いの経験を報告しては盛り上がったりしたものです。それは当たり前のことだと思うのです。

もちろん、親には言わずに隠しているつもりでした。でも、きっと親はいろいろお見通しだったはずです。

ゲームであれ、性的なものであれ、何かを禁止している親すべてに共通すると思うのですが、彼らは、**自分の子どもがいずれ大人になって、自分自身で判断しなければいけなくなるということを理解していない**ように思います。

常軌を逸しない範囲で、子どもが求めているものは与え、その中で子どもが自分でコントロールできるように導いていかなくてはなりません。親の保護下の無菌室で育てたなら、実社会に対応できない大人になってしまいます。

リクルートマーケティングパートナーズが実施した調査によると、20代男性のおよそ4割が「異性と付き合ったことがない」と答えたそうです。

多様な価値観の人がいるのは、社会が成熟している証拠なので、自らの意思で恋愛しないことを選ぶのはなんら問題ありません。ただ、この4割の中には、異性と付き合いたいのに、どう距離を縮めたらいいかわからないという人もいるはずです。そういう女性との関わり方がわからない子どもにしたのは、「まだ早いから」といろいろなものを禁止してきた親のせいなのではないでしょうか。

子どもが親の庇護を受けるのは当然です。ただ、彼らも人格を持った一人の人間であり、いずれ独立した大人として生きていかねばなりません。そのことをわかっていない親が多すぎます。

あれもダメ、これもダメ、となんでも禁止するよりも、「どううまく付き合っていくか」を教えていくほうがよっぽど、子どものためになるはずです。

親と子の〝すれ違い〟が生まれるわけ

親と子どもが一番衝突するのが「子どもが就職するとき」でしょう。子どもが選んだ就職先に親があれこれ口を出して、反感を買ってしまうのです。

ワコムが行った「職業に関する意識調査」を見ると、親が子どもの将来にどのような期待をしているのかが見えてきます。

その調査は、小学生や中学生の子どもを持つ、30歳から50歳までの男女540人に対し、ネットアンケートという形で行われました。

親に、今後子どもたちが活躍できるだろう職業について選択肢（複数回答可）で聞くと、以下のような結果となりました。

1位　ITエンジニア・プログラマー　51・9％
2位　ゲームクリエイター　32・8％
3位　エンジニア　30・6％
4位　デザイナー　28・7％

IT系やクリエイティブ系が中心に挙がっています。親世代の感覚は古いなんて言われることがありますが、この結果を見ると、そこまで時代遅れとは言えないように思います。

ただ、興味深いのはここからです。次に、子どもになってほしい職業について聞くと、答えは大きく変わります。

1位　医師・看護師　33・7％
2位　会社員　32・4％
3位　公務員　28・9％
4位　デザイナー　8・0％

突然、俗に言う**「安定している仕事」が上位を占める**のです。将来性のある職業となってほしい職業がこんなにも違うなんて、いったいどういうことなのでしょう。会社員（そもそもこれが職業と言えるか疑問ですが）とか公務員が入ってくるのは、子どもに平穏な暮らしを送らせたいという親心でしょうか。

このアンケートに即すと、僕自身は将来性のある職業に近い仕事をしていますが、僕の親は公務員なので、安定している職業に就いていることになります。僕は自分の仕事について親に相談したことがないのでわかりませんが、もしかすると、公務員や医者などの職業を選んでほしかったと思っていたかもしれません。

働く目的についての内閣府の調査では、「お金を得るため」という答えがトップで、「自分の才能や能力を発揮するため」をすべての年代において凌駕しています。まさに、このアンケートに参加している年代の親は、経済的安定が人生においてどんなに重要かを痛感しているのかもしれません。

また、1位の「医師・看護師」は、選択制だからそうなっているだけで、たぶん医師を選んでいるのでしょう。医師や弁護士は、知的な高給取りとして、親の世代には憧れの仕事だったはずですから。

僕の知り合いに、誰もが知る大企業と、伸び盛りのベンチャー企業の両方から内定をもらい、親の猛烈なすすめで大企業を選んだという人がいます。

こんな話はよく聞きますが、決して「親世代の考え方が古い」から大企業をすすめているわけではありません。**将来性と安定性を天秤にかけて、後者を選んでいる**というわけなのです。

ベンチャー企業の生存率のデータを見ると、創業から10年後は6・3%しかありません。つまり、100社中6、7社しか残らないのです。

91ページでは、大学生に人気の企業が衰退していくと述べましたが、ベンチャー企業と比べれば、リスクは低いのです。

ただ、子どもにはそんな考えはなかなか理解してもらえません。自分が安定している場所にいることは棚に上げて、「あのときあの会社を選んでいれば、もっと面白い仕事ができたのに」などと不満を募らせます。

「親の心、子知らず」と言いますが、職業選びにおける親と子のすれ違いはこうして生まれてしまうのです。

よくわからない「学校ルール」

なんとなく残り続ける「ブラック校則」

「校則」と聞いて、嫌な思い出がよみがえる人も多いでしょう。日本の教育現場では、耳を疑うような変な校則が今も残り続けています。

岐阜県教育委員会が2019年に全日制高校61校の校則について調査しました。なんと、制服着用時の下着の色などを制限する高校が16校もあったとのこと。さらに、外泊または旅行の届け出や許可を求めるのは46校、選挙運動や政治的活動を制限するのが11校となっています。

こうした結果を受けて再度調査を行うと、**9割以上の高校に生徒の人権を侵害する**

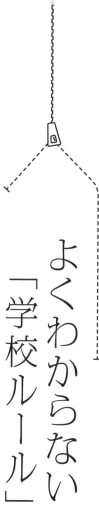

ような校則があることがわかったそうです。

これは岐阜県の例ですが、日本の学校にはこうした**「ブラック校則」**が定められているのです。なかには、授業中にトイレに行くなら男子は1分、女子は3分で戻らないと欠席扱いになるというのもあるとか。まったく意味がわかりません。

こうした現状を放置できないと感じた有志が発足させた「ブラック校則をなくそう！」プロジェクトには、全国からおかしな校則の実態が続々寄せられています。

たとえば、パーマを禁止している学校では、くせ毛の生徒に「くせ毛届け」を提出させ、生徒手帳に承認のサインが書き込まれるそうです。つまり、「お前はパーマをかけているのか」と叱責されたときに「いいえ、違います」と生徒手帳を見せることで許しが得られるわけです。

髪の毛の色や質は、肌や目の色と同じように人それぞれで、国際問題にされても仕方がないような内容と言えます。

他にも、ひどいところでは、遅刻した生徒は給食が食べられない、カップルが一緒に帰ってはいけないなどというのもあります。

そもそも、トイレの時間とか、髪の色とか、どうしてそんなことまで学校に決められなければいけないのかというほど、次元の低い話です。教師たちは、自分の仕事が嫌にならないのでしょうか。

僕は学生時代、校則というものを意識したことがありませんでした。通っていた中学校はかなり荒れていて、教室にタバコの吸い殻が落ちていたり、1日に13枚窓ガラスが割れたりと、日々いろいろなことが起きていました。

先生は毎日それらの対応に追われていたので、とくに問題を起こしていない生徒であれば、何も注意されることはありませんでした。

高校も校則がないことで有名な高校で、制服もなかったので、授業が終わるとそのまま居酒屋に行けたり、街中でタバコを吸っていても何も言われなかったりとか、そういう自由な学校でした。なので、ブラック校則に振り回されるみなさんのことは本当に気の毒だと思います。

僕がニュース番組で共演している劇作家の鴻上尚史《こうかみしょうじ》さんは、さまざまなメディアを通じて学校教育に対する疑問を投げかけています。「アエラドット」での連載「鴻上尚史のほがらか人生相談」では、ある学生からの質問に答える形で、ブラック校則の無意味さについて述べています。

鴻上さんが通っていた高校にも、「女子のストッキングは黒」という意味のわからない校則があったそうです。鴻上さんはそうした校則をなくすことを公約として生徒会長に立候補し、当選しました。そして、近隣の学校の生徒会長と連携して、校則をなくすべく学校と戦ったそうです。

学校ごとにそれぞれいろいろな校則があったようで、鴻上さんの学校では「ベージュのストッキングは派手なので禁止。黒色のストッキングのみ」でしたが、近隣の高校では「黒色は娼婦っぽいから禁止。肌色のストッキングのみ」でした。

あまりにも真逆で笑ってしまいます。こうした校則に納得できる根拠がないことを如実に示しています。

しかし、鴻上さんたちの活動は先生の厳しい指導により止められてしまい、結局校則をなくすことはできなかったのだと言います。

鴻上さんは、ブラック校則がなくならないのは「今のままでいい。大した問題が起きてないのだから、わざわざ変える必要はない。昔からある、与えられたシステムを続けよう」という「所与性」が原因だと言っています。

学校の校則であっても、決まり事を変えるには誰かが議案を出して、話し合って、採決しなければなりません。そうした面倒なことを、教師側もしないし、ましてや生徒側はできずにいるわけです。

たとえ、鴻上さんのような勇気を持った生徒が現れても、変化を嫌う先生に潰されてしまいます。しかし、「これまでやってきたから」という理由で、明らかに不合理なことを続けるのは本当にバカげています。不合理なことは変えていく。大げさなことを言えば、これを繰り返してきたからこそ、人類は発展してこられたはずです。

このように、**日本の教育現場には、思考停止の前例主義が満ち溢れている**のです。教育の大きな目的は、子どもの考える力を伸ばしたり、視野を広げたりすることのはずです。しかし、ブラック校則などの実態を見る限り、教育現場では、子どもの判断力を伸ばすどころか、自分で考える機会を奪うような指導がまかり通っています。

子どもたちに自ら判断し行動するための力を身につけさせる前に、まず無意味なルールや慣習を見直していくべきではないでしょうか。

ずです。

残念ながら……いじめは〝なくならない〟

「ブラック校則」が世間をにぎわすはるか前から問題視されてきたのが「いじめ」です。この本の読者にだっていじめに関わったことがあるという人が少なからずいるはずです。

以前、いじめについて3000人を対象にアンケート調査をしたことがあります。その結果、一番多かったのが「いじめをしたことも、されたこともある」で35・8%でした。続いて、「いじめをされたことがある」29・9%、「いじめをしたことも、されたこともない」24・7%、「いじめをしたことがある」9・5%となっています。

つまり、「自分はいじめられたことがある」と思っている子どもが65・7%もいるのに対し、「誰かをいじめたことがある」と認めている子は45・3%に留まっているということです。

僕はこのアンケート調査が、いじめをなくすのが難しい理由を表しているように思えます。

普通、いじめというのは多数が少数に対して行います。たとえば、1人の子を呼び出して5人でボコボコにしたりするわけです。

だとしたら、この数字は明らかにおかしい。「いじめられた」より「いじめた」数値のほうが高くなって当然のはずです。おそらく、たとえ匿名であっても、**「自分はいじめっ子だった」と認めるのは難しい**ことなのでしょう。

スポーツ界で成功したガタイのいい人などは、ガキ大将的な子供時代を過ごした人が多いはずです。彼らの中には、現在の爽やかなイメージとは裏腹にいじめっ子だった人もゼロではないと思いますが、誰もそんなことは口にしません。

伊集院光さんも以前、自身のラジオ番組で「『自分も昔いじめられてました』って言うタレントはいても、『自分は昔いじめをしてました』って言うタレントはいない、所詮はそんなもの」というような発言をしていました。

大人だってそうなのですから、子どもに自己申告させることはほぼ無理。そうしたこともあって、なかなかいじめが顕在化しにくいのかもしれません。

また、「いじめだと思っていなかった」というパターンもあるのではないかと思います。傍から見たら明らかないじめであっても、いじめた本人はちょっとしたからかいやいじりと捉えてしまっているのです。

この場合も、いじめた側に自覚や罪悪感がないので、表に出てくることがないまま、エスカレートしていってしまいます。

さらに根が深いのが学校や教育委員会の対応です。生徒が自殺してしまっているような最悪のケースでも、「いじめは認識していなかった」と繰り返すばかりの、信じられない対応をすることがあります。

「いじめを放置した」と責任を追及されることを恐れているのかもしれませんが、その対応がさらなる非難につながり、まったくの逆効果になっています。

学校側がそういう逃げの姿勢だと先生も同じように振る舞うしかありません。自分の担当するクラスのいじめなどなるべく知りたくないわけです。

子どもたちは、いじめをしているとは言わない。または気づいていない。

先生たちは、なるべく聞きたくない。

そういう構造がある以上、いじめがなくなるはずがありません。

子どものいじめの根源は「同質性」を求めることにあります。服装であれ、言葉であれ、家族構成であれ、趣味であれ、「あいつ、俺たちと違う」というのは、子どもにとって格好の攻撃材料です。異質だと指摘された子は、その他大勢と一緒になることができずにいじめられます。ここで不登校になってしまう子もいます。

子どもが学校に行けなくなれば、親として心配なのはわかります。でも僕は、無理してまで通わせる必要はないと思います。

昔は通信制の学校で質の高い教育を受けるのは難しかったのですが、今はN高等学校など、ネットをうまく活用して、一流の講師陣の授業を受けられる学校も出てきています。こうした学校であれば、毎日登校するのが苦痛な子でも、落ち着いて勉強に集中できるでしょう。

さらに言えば、学校に行かなくても、勉強はできます。一流の講師による映像授業が見られる「スタディサプリ」というアプリもありますし、勉強系 YouTuber の動画を見て学ぶこともできます。

僕は将来の自分の可能性を狭めないためにも、高卒や大卒の資格は持っておいたほうがいいと考えていますが、やりたいことが明確に決まっている人であれば、独学というのもアリだと思います。

また、コミュニケーションという面においても心配は不要です。インターネット上で、気の合う仲間を見つけることができます。僕自身も学生のうちから、ネット上で知り合った人とだらだら長く付き合っていますが、学校などリアルな場で知り合ったなかで、今でもつながりがある人はほとんどいません。

学校になじめなければ、自分に合った別の場所を探せばいい。自分にはここしか居場所がないと思っていると、いじめに遭ったときに逃げ場がなくなってしまいます。社会に出ればわかりますが、学校はかなり特殊な環境です。学生時代いじめに遭った人で、社会的に活躍している人はいくらでもいるのです。

「役に立つ」勉強をしよう

大事な大事な「お金」教育がない

学校で何を教えるべきなのか。ネット上でもたびたび議論になっていますが、僕は何よりもまず「お金の教育」が必要だと考えています。**子どものうちにお金のことをほとんど学ばないまま社会に出ると、取り返しのつかない失敗をしてしまう危険性があるから**です。

全国の消費生活センターなどには「多重債務に関する相談」が1か月あたりおよそ2000から3000件も寄せられています。その中には、自分のことではなく、夫や娘など家族についての相談も含まれています。

国内銀行のカードローン等残高の推移

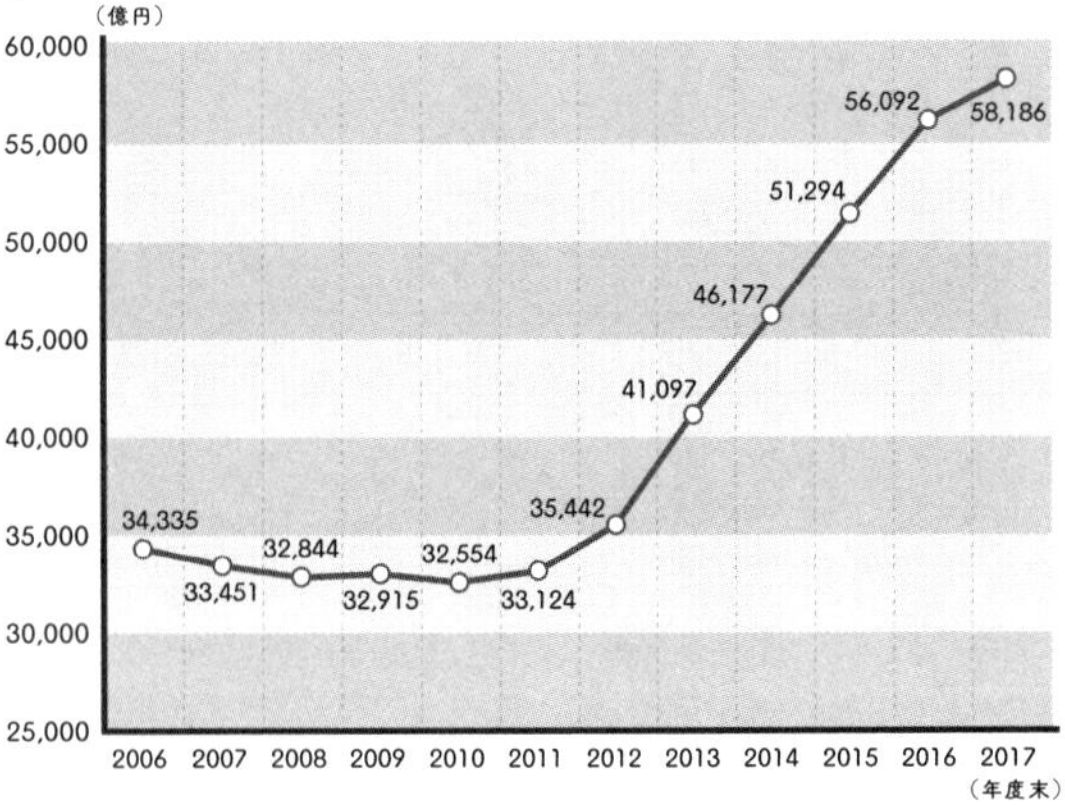

出典：「多重債務者対策を巡る現状及び施策の動向」金融庁／消費者庁／厚生労働省（自殺対策推進室）／法務省

相談内容の多くが、消費者金融からの借り入れ、クレジットカードローン、銀行カードローンなどが溜まって支払いができなくなったというものです。

僕がとくに問題だなと思うのは、クレジットカードや銀行カードのローンです。消費者金融であれば、「利用するのはちょっと危険」と感じる人が多いでしょうが、カードローンはそうではありません。クレジットカード会社や銀行など、立派なところが「貸してあげますよ」と言ってくると安心してしまうでしょう。

国内銀行のカードローン残高の推移を示しているのが上のグラフです。２００６年は「３兆４３３５億円」だったのに対し、

2017年は「5兆8186億円」と約1・7倍まで増加しています。

しかし、これらの利率たるや約15%と、消費者金融となんら変わりません。**軽い気持ちで借りていたら、いつのまにか返済が追いつかなくなる。**2000件以上にも上る多重債務者の相談件数は、借金の仕組みを理解していない人がたくさんいることを示しているのでしょう。

さらに多くの人がはまっているのが、クレジットカードのリボ払いです。

リボ払いは、支払額を毎月一定額に固定し、利子と共に返済していく方法です。

たとえば、30万円のブランドバックを購入したときに、一括払いにすれば翌月には銀行口座から30万円引き出されてしまいます。当然のことながら、30万円以上口座に残っていなければ買えません。

一方、リボ払いで毎月1万円ずつ支払うという設定にすれば口座に1万円以上あるだけでいいので、ずいぶん楽に感じます。

ところが、ここに大きな落とし穴があります。1万円を30か月支払えば終わりというわけではありません。そこに金利分が乗るので（利率15%で計算した場合、約7万80

00円)、約8か月分、余計に支払わなければなりません。

要するに、30万円のものを約38万円で購入しているわけです。支払っている本人は毎月1万円を返済し続けているだけで、合計の返済金額まできちんと把握していないのでしょう。

一方、クレジットカード会社は得をします。1回払いよりもリボ払いを選んでくれたほうが利息分が入ってきて儲かるので、クレジットカード会社は、あらゆる手を使ってすすめてきます。

そうした誘惑に加え、「毎月1万円で済む」という油断から、多くの人が最初の支払いを終えないうちに他の買い物についてもリボ払いにします。

そして、どんどん毎月の支払額が膨らんでいき、いつまで経っても支払い終了しないどころか、自己破産に陥るケースも多々あります。

お金に対するリテラシーが低い人向けのサービスはめずらしくなく、古くは「丸井の赤いカードのキャッシングローン」、最近だと「ZOZOTOWNのツケ払い」などがありました。どちらも、目先の支払額を少なくして、金利分で儲けるという手法は同じです。

リボ払いなどもその典型です。**貯金がなく、生活に余裕がない人ほど、リボ払いに手を出してはいけない**ことに気づかなくてはいけないのです。

僕自身は無駄遣いがとにかく嫌いで、自販機でジュースを買うのも抵抗があるぐらいです。お金がないわけではありませんが、必要のない出費はなるだけ避けるようにしています。

僕からしてみると、それほど稼ぎが多くないのに、飲み会の帰りにすぐタクシーを使うような人の金銭感覚が理解できません。きちんとお金について学んだり、考えたりする機会がなかったのかなと思ってしまいます。

ただ、それも仕方のないことなのかもしれません。「お金の教育」は学校で行われていないからです。せいぜい、小学校で「お小遣いは大切に使いましょう」と言われるくらいでしょう。

お金の使い方一つで、僕らは幸福にも不幸にもなれます。**子どもが将来、幸せに生きられるためにするのが教育だとしたら、お金のことは絶対に教えておかなければな**

らないことのはずです。

しかしながら日本では、「お金について話すことはいやらしい」という感覚が浸透してしまっています。〝純粋な〟子どもたちに、〝神聖な〟学校で、お金の話はふさわしくないと考えられているのでしょう。

でも、それにより、若者がお金に対するリテラシーがほとんどないまま社会に出て、「多重債務」や「自己破産」に陥っているのです。

必要なことは〝学校以外〟で学べる

ここ数年、「学校以外」の学びの場を活用している人が結果を出す事例が相次いでいます。

ケニアに、ジュリアス・イエゴというやり投げの選手がいます。彼は、自国にやり投げの優れた指導者がいないからとYouTubeで情報を探し、独学で金メダルを取れるまでになりました。

日本でも、BCリーグの球団からドラフト指名を受けた杉浦健二郎さんは、高校で野球をやっていなかったにもかかわらず、大学に入ってからYouTubeで投球技術を学び、150キロの豪速球を投げられるようになったそうです。

このように、**「自分にとって何が必要か」が明確にわかっていれば、インターネットはすばらしい学びの場となります。**

もっと身近なテーマでも同様です。

「ネクタイをかっこよく結びたい」

「時短でカレーをつくりたい」

「スナップボタンを付け替えたい」

「ヨガの弓のポーズが知りたい」

こうしたニーズがはっきりしていて、自分なりに取捨選択ができることであれば、必要な情報はすべてインターネットで手に入ると言っても過言ではありません。

ただ、探している情報に要領よく行き着くためには検索力が大事。これからの時代、自分で必要な情報やデータを集められるというのは非常に重要なスキルになってきます。

ところが、日本の教育ではおよそ検索力は身につきません。というのも、暗記力ばかりが問われているからです。

しかし今の時代、暗記しなければいけないことはそれほど多くありません。友人や家族の電話番号ですら覚えている人は少ないでしょう。

歴史的事件が起きた年号など、みんないろいろ覚えさせられたはずですが、たとえば「大化の改新がいつだったか」が、大人になってから重要な議題に挙がることなどまずありません。

百歩譲って議題に挙がったら、**その場で検索すればいい**のです。

僕は日本とアメリカの両方で大学に通いました。

日本の大学では、成績を決めるのはペーパーテストが大半です。ペーパーテストでいい点数を取るためには暗記が必要になります。

一方、アメリカではレポート中心。研究テーマと、参考にすべき本のジャンルなどが提示されるだけなので、必然的に資料を探し出す能力が鍛えられました。

大学に限らず、教育現場では、教える側もその能力が評価されます。そして、とくに日本の場合、「教える能力」の評価基準は「生徒の成績」に置かれます。

全国の小中学校を対象に、年に1回、学力・学習状況調査が行われていますが、各県ともこのテストでいい結果を出そうと躍起になっています。毎年、調査結果が発表されると、ニュース番組などで、「1位は○○県、最下位は△△県！」と大げさに報じられるからです。生徒の成績が数字として表れてくるのでわかりやすいというメリットはありますが、それだけを重視していると、「テストでいい点を取らせる」ことが至上命令になってしまいます。

本当であれば、「その子の人生でどれだけ役立つことが教えられたか」に着目すべきです。ペーパーテストの結果というのは、その一要素に過ぎません。

でも、**現状の受験システムや評価制度では、テストでいい点を取るための勉強に偏らざるを得ない**のです。

完璧主義に縛られる子どもたち

突然ですが、1つ質問です。マクドナルドのビッグマックのバンズには、パラパラとゴマが振ってありますが、そのゴマは何粒くらいでしょう？

答えは約350粒です。300粒でも400粒でもなく350粒なのだそうです。

しかし、多くの人がマクドナルドに期待しているのは、商品をスピーディに出してくれること。そのゴマが330粒だろうと、360粒だろうと文句は言いません。というか、誰もゴマの数なんて気にしていません。

逆に、「正しく数えてから渡そう」などという店員がいたら、お客はしびれを切らして帰ってしまうでしょう。**つまらない完璧主義は迷惑**なのです。

実は、こうしたことはどんなビジネスにも言えます。

Facebookの創業者であるマーク・ザッカーバーグの**「Done is better than perfect（完璧を目指すよりまず終わらせろ）」**という言葉は有名です。

彼のような成功者は、完璧を目指していつまでもこねくり回していることを嫌います。それよりも、70％くらい仕上がったところで一度、リリースしてしまい、不具合があればその都度、対応していけばいいと考えています。

そもそも「完成形」があるという考え方自体がナンセンスです。どんなに周到に準備したところで、どこかにほころびが出てきます。ありもしない完璧を追い求めるより、まずは70％の出来でよしとするほうが効率的なのです。

ソニーは、２０２０年の６月にＰＳ４のバグを発見した人に５００万円以上の賞金を出すプログラムをスタートしました。このように、最近ではユーザー側に不具合を探してもらう動きまであります。

教育も同様で、「70点でいい」という考え方を浸透させていくべきだと思います。

アメリカでは、あまりよくわかっていない子どもも、どんどん意見を言います。何か足りないところを指摘されたら、そこを改善していけばいいという考えです。だから、結果的に子どもは自分に自信が持てるし、伸び伸びと育ちます。

一方で、日本には完璧を求める文化があります。子どもたちは間違えることを恥ずかしいことだと思っているので、よほど確信がなければ、意見を出してくれません。たとえ、正解がないような問いに対してでも、先生の顔色を窺って、「一番ほめられそうな意見」を探ろうとします。

すると、ごく一部の優秀な子どもたち以外は、成功体験を積むことができないので、なかなか自己肯定感が高まりません。

このあたり、大人たちの意識改革が必要だと僕は思っています。

ビジネスの現場では、「早く提出しろ」と言われた書類は、早く提出してこそ意味があります。同じ内容なら、誤字はあるけれど5分で提出できた人は、間違いをなくすことにこだわって1時間かかった人より評価されます。

ましてや、「その文字を正しく書いていたか」などということはまず問われません。

それなのに、子どもたちは「漢字の書き順」を厳しく指導されます。

学校ではずっと細かい部分を見られ、完璧を求められていたのに、社会に出て突然7割の出来でもいいからたくさんアウトプットをしろと言われるのですから、ギャップに戸惑ってしまうのは当然です。

学校を「就職予備校」のようにする必要はありませんが、もう少し、社会で求められる力をつけられるようなカリキュラムや評価基準を導入してはどうかと思います。

「大学」と「社会」の間の摩擦

「大学で学んだこと」を無視する企業

内閣府が行っている「世界青年意識調査（第8回）」を見ると、学校で学ぶことと将来の職業について関連づけて考えている人の割合が、日本はかなり低くなっています。

アメリカやイギリス、フランスでは40％を超えているのに、日本では30％ほどで調査対象国の中ではビリ。つまり、**日本人は目的意識を持たずに勉強しているの**です。

みなさんの周囲を見回しても、医学部や薬学部などは別にして、大学で専攻した分野をそのまま職業に生かしている人は少ないはずです。

そもそも、将来像が見えないまま大学進学するのだから、選ぶ大学もイメージ優先になります。そして、就職に関しても同じようにイメージだけで大企業を希望します。

採用試験の面接では、「僕がゼミで学んだマーケティング理論は、まさに御社の……」などと、無理に職務内容と結びつけてみるものの、実際に入社してから「大学で学んだことが役に立った」ということはあまりありません。

もっとも、企業側も社員に特別なスキルなど望んでいないのだから、それでいいのでしょう。

経団連の調査では、**企業が新卒者を採用するにあたって「選考時に重視する要素」に挙げている1位は、16年連続で「コミュニケーション能力」だった**そうです。個人のスキルより、みんなと一緒にうまくやれることを求めているわけです。

だから、大学で一生懸命勉強して、学術的に評価される論文を書いた人より、ろくに授業にもいかず、バイトやサークルでリーダーをやっていた人を優先して採用しているのです。

これが日本企業の現実なのだから、就職のためにどんな専門分野に進むか悩むより、和気藹々《わきあいあい》と楽しい学生生活を送ったほうがいいということになります。

大卒を採用するのであれば、コミュニケーション能力を重視するのは間違いではないでしょう。学部生は、卒業論文を書くくらいで、学会発表などをする機会も多くはないので、仕事に生かせるような専門的な知識が身につかない場合がほとんどだからです。

しかし、日本では、大学院に進んだ学生に対しても、同じような基準で採用を行っています。とくに文系の院卒は、学問的な実績や経験が評価されず、学部卒よりも就職に苦労しているようです。

文部科学省の『学校基本調査』によると、2018年に人文科学系の博士課程を卒業した学生で、正規職員に就かなかった人の割合は59%にも上ります。人文科学系の学部卒では15%ですから、博士課程の学生がどれだけ就職が難しいかがわかるでしょう。日本企業は**大学院に進んだ学生のことをほとんど評価していない**のです。

日本では新卒の一括採用が基本です。スキルも経験もない状態から一人前に育て上げることを前提にしていますから、専門的な知識を持った学生を採用したところで、それを生かせる環境にないのです。企業の立場から考えると、どうせ院卒を採用しても活躍の場を用意できないので、少しでも若い学部卒を採用したほうが得だということになります。

理系の大学院を出た学生はメーカーの研究職などに就ける可能性があるので、まだ将来性がありますが、文系の大学院を出た学生は就職のハードルがかなり高いのが実情です。

では、海外ではどうなのかというと、日本とはまったく逆です。

欧米では、学部卒よりも、院卒のほうが就職に有利になります。収入も院卒のほうが高い傾向にあります。企業内に大学院で学んだ専門知識や課題解決力を生かす環境が整っているのです。

また、大学院に進んだ学生の学費免除制度など、経済的な支援も積極的に行っています。

近年、日本では、大学院進学率が減少傾向であることが問題になっています。これは、**学生が大学院に進んだ場合の「将来性のなさ」をしっかり見抜いている**ことの表れなのでしょう。

「大卒に意味はない！」――インフルエンサーの嘘

最近、大学へわざわざ高い学費を払って通う必要はないという風潮があります。オンラインサロンを運営するブロガーのイケダハヤトさんは「大学なんて行く必要がない」と主張し、それに感化された大学生が実際に退学する、なんてことも起こっています。

オンラインサロンは、ウェブ上で展開されるクローズドの会員制コミュニティです。会員は月額料金を払うことで、コミュニティ限定イベントへの参加などができるようになります。

たしかに、そのコミュニティでしか得られない情報があるのかもしれませんが、オンラインサロンの運営者が、大学なんて入らずに別のところで学んだほうがいいと言うのは、明らかにポジショントークです。

彼らの話を真に受けて、大学を辞めても、その後の人生の面倒を見てくれるはずはありません。それどころか、自分の影響力のすごさを示す広告塔的な扱いを受けて、とことん利用されるだけでしょう。

「大学不要論」を掲げる人たちはよく「大学に行かなくても大抵のことは学べる」と主張します。たしかにこれは一理あります。ネット全盛期のこの時代、本人に学ぶ意欲さえあれば、大学に行かなくても学ぶことはできます。

ただ、僕は**「大学はとりあえず卒業しておく価値がある」**と思っています。

高卒の男性の生涯賃金（退職金を含まない）は平均で２億１０００万円。一方、大卒・大学院卒の男性は２億７０００万円。その差６０００万円は家１軒分にあたる金額を優に超えています。女性の場合も、高卒と大卒・大学院卒の差は７０００万円と大きな開きがあります。

しかも、高卒は大卒よりも最低４年は早く働き始めているわけですから、時給に直せばかなりの開きがあることになります。

149ページで触れたように、日本の大学で教えていることは、一部の専門的な分野を除いて、社会に出てからあまり役に立ちません。

大学で学んだことが企業で生かされていないとすると、高卒の人と大卒の人で仕事内容はそれほど大きく変わらないはずです。にもかかわらず、生涯賃金に６０００万円もの開きがある。

これは、**日本企業が「大学で何を学んだか」ではなく、「大卒である」ことに価値を見出している**ことの表れでしょう。

もちろん、ビル・ゲイツ氏やマーク・ザッカーバーグ氏、日本では堀江貴文さんのように大学を中退して成功している人はいます。でも、それはごく一握りの超優秀な人たちです。一般的には、大卒という肩書きは持っておいて損はないのです。もっと言えば、高い学歴を持っておくのに越したことはありません。

というのも、学歴が高い人たちは、的確な目標を設定し、計画通りに努力を重ね、成果を挙げてきているという「実績」があるからです。そういう能力だけは最低限、周りから評価してもらえます。

一方、**学歴という目安がないと、そもそもの信用が得られにくい**のです。

学歴もなく、実績もない若者に、大きな仕事を任せてくれる人は誰もいません。まずは下積み的な仕事を経て、少しずつ信用を積み重ねていく必要があります。これは時間がかかりますし、下積みを重ねたところで、大きな仕事を振ってもらえる保証はどこにもありません。

一度、仕事で実績をつくれば、それをアピールしていくことができますが、最初のゼロを1にするのにとても苦労します。

また、海外で働くためにも学歴は大事です。就労ビザの条件として、一定以上の学歴を求めている国はいくつもあります。

タイ、インド、韓国など学歴を問わない国もありますが、カナダ、ベトナムは大卒以上、マレーシアは大卒か短大卒以上などと、高卒では就労ビザが取れない国がかなり多いのです。

それに、価値観も異なる海外では、国内以上に「その人となりを見る」ことは困難。どうしても、学歴のようなわかりやすい基準に頼ることが多くなります。

「日本みたいに不自由な国を飛び出して海外で活躍するから、学歴なんて必要ない」というのは、実は大きな勘違いです。**海外に出たいと思っているならなおさら、学歴**

を軽視してはダメなのです。

デジタルネイティブ世代の「意外な特徴」

「デジタルネイティブ」という言葉を聞いたことがあるでしょうか。学生時代からインターネットがある環境で育ってきた世代のことを指します。日本では１９９０年以降に生まれた人が該当します。今の大学生もデジタルネイティブ世代です。

この世代の人たちは、それ以前の生まれの人よりデジタル機器の扱いに慣れているので、彼らが社会に出ることで、仕事のデジタル化が急速に進んでいくのではないかと期待されていました。その流れに乗り遅れないように、必死でパソコンスキルを学んだおじさんたちも多いのではないでしょうか。

しかし、実際にデジタルネイティブ世代が会社に入ってくると、**彼らは「スマホデジタル世代」であって、「パソコンデジタル世代」ではない**ことが明らかになってきました。

以前、ＮＥＣパーソナルコンピュータが行なった調査によると、大学１年生から３

年生の75・7%、4年生の70・7%が「PCスキルに自信がない」と回答しています。

また、新卒採用に関わったことがある社会人に、新入社員のパソコンスキルに不安を感じるかどうか問うた答えは、「感じる」「やや感じる」が合計で57・2%となっています。

その一方で、44・3%の企業が、採用の際にパソコンスキルの有無を重視すると答えています。

ということは、**企業が望んでいるにもかかわらず、多くの大学生がパソコンを使いこなせていない現実がある**のです。

高校生までの子どもであれば、パソコンに触れる時間が少ないのもわかります。ただ、大学生はレポートを書いたり、発表資料をつくったりするので、パソコンを使う機会はありそうなものです。なぜ、7割以上もの大学生がパソコンスキルに自信がないのでしょうか。

フリーライターの地主恵亮《じぬしけいすけ》さんが、スマホとパソコンの利用実態について大学生に取材をした記事（「最近の大学生はレポートをスマホで書く？　おじさんライターが聞いてみた」）があります。この記事によると、大学生はレポート作成や動画編集など、ありとあらゆる作業をスマホで行っているようです。

たとえば、ある学生は、レポートをスマホのメモ帳に書き、それを大学の研究室のパソコンにメールをし、ワードにコピペして提出しています。

そんな回りくどいことをするくらいなら最初からパソコンで書けばいいのにと思ってしまいますが、パソコンのタイピング入力より、スマホのフリック入力のほうが早く書けるのだそうです。

また、動画の編集やチラシのデザインも全部スマホのアプリを使ってやっていて、**大学生活を「スマホ一台」で乗り切っています。**

こういう話を聞くと、大学生や若手社会人がパソコンスキルに不安がある理由がわかります。彼らはそもそもパソコンを使う機会がないのです。

ＮＥＣパーソナルコンピュータの調査では、学生たちのパソコンスキルは、普段の利用時間と比例していることもわかっています。長い時間使っている学生ほどパソコンスキルに自信がある傾向が見られるようです。

だったら、どんどんパソコンに触れればいいのですが、多くの学生がそれをしません。なぜなら、「大学生活はスマホがあれば十分」だからです。

しかし、社会人になるといきなり「スマホだけでは不十分」な環境になります。

たしかに、スマホにもいろいろな機能やアプリはあるものの、パソコンとは比較になりません。簡単な文章を書くくらいならスマホで十分かもしれませんが、複数枚にわたるプレゼン資料を作成するときやプログラムを書くときには、パソコンでなければ効率が悪いでしょう。

将来的には、スマホがパソコンレベルのスペックを有するようになる可能性はあります。となれば、職場からパソコンは消えてしまうかもしれません。

しかし、今はまだその時期ではありません。**デジタルネイティブ世代の登場に期待していたのに、ふたを開けてみると自分たちよりパソコンスキルがない人たちばかりだった**というのはなんとも皮肉な現実です。

僕らの世代は、スマホよりも先にパソコンがありました。だから、パソコン主体でスマホはサブという使い分けができています。

一方で、大学生になったときにはすでにスマホがあった世代は、あえてパソコンを必要としてこなかったのでしょう。


もっと若い人たちも同様です。総務省が行った「通信利用動向調査」で、13歳から19歳までの人がインターネットを利用するときに使う機器について聞いたところ（複数回答あり）、次のような結果が出ています。

２０１３年の段階では、パソコン（自宅）73・8％、パソコン（自宅外）18・8％、タブレット15・1％、スマホ64・1％でした。

これが、5年後の２０１８年になると、パソコン41・3％、タブレット24・4％、スマホ76・6％と、パソコン利用派が大きく減っています。

となれば、**今後ますますパソコンスキルに自信のない若者は増えていく**でしょう。

僕は、幼い子どもであっても、スマホやタブレットではなく、まずはパソコンを与えるべきだと思っています。

僕が子どもの頃、ファミコンを欲しがったら、親は代わりにパソコンを買ってくれました。このことには今も感謝しています。

ファミコンはファミコンとしてしか使えないため、僕はファミコン利用者にしかなれませんが、パソコンがあることで僕は「生産者」的な立ち位置にいることができました。

これはスマートフォンも同様です。スマホでもデザインや文書作成ができるアプリは出てきていますが、ビジネスの場で使えるレベルには至っていません。やはり、**現時点では、スマホを使っている限り、あくまで「消費者」なのです。**

「パソコンの扱いなんてお手の物だろう」と期待する会社側と、「パソコンなんてほとんど触ったことがない」と不安を抱える新入社員たち。そうした悲しいギャップは当分なくなりそうもありません。

Chapter 4

政治

「終わるきっかけ」を必死でつくる人たち

世界にはびこる「閉塞感」

限界寸前の民主主義

ＣＳＥＳ（The Comparative Study of Electoral Systems）という国際共同プロジェクトがあるのを知っているでしょうか。主に、国政選挙を対象に多国間で共通の調査を実施、データを集積し世界の動向を研究しています。

ＣＳＥＳは、毎回の調査ごとに基軸となるテーマを決めているようなのですが、最新の第５期調査では、**「ポピュリズム」**がテーマになっています。

近年の選挙では、ポピュリズムの台頭が大きな潮流となっているということを表しているのでしょう。

ポピュリズムとは、大衆に迎合し、人気を煽る政治姿勢のことです。

ここ近年、大衆を煽ることで選挙に勝利した事例が相次ぎました。アメリカファーストを唱えたドナルド・トランプが大統領に選ばれたり、イギリスがＥＵ離脱を選択したり、ドイツでも自国第一主義を唱える右派政党「ドイツのための選択肢」が躍進したりしました。

もっとも、そうした政治家たちは選挙によって選出されているわけですから、それは国民の望みにほかなりません。

グローバル化が進むなかで、多くの国で中間層の二極化が生まれ、国民は一握りの富裕層と多くの貧困層に分断されてしまいました。**貧困層の不満を収めるには、「私たちの国家は素晴らしい。ナンバーワンだ」というナショナリズムの喚起は、有効な手法なのでしょう。**

トランプが民主党の候補であるヒラリー・クリントンに勝ったとき、それだけ支持するアメリカ国民がいたことに世界は驚愕しました。そして、トランプには大衆を動かす力があるということを思い知りました。

ただ、その力の根源は正義ではないということも多くの人が見抜いていることでしょう。トランプは、嘘をつくこと、対立構造をつくり出すことで大衆を動かしたわけです。

「アメリカ人の失業が増えているのは移民が雇用を奪っているせいだ。あいつらを追い出せば、アメリカ人はみんな給料が上がってハッピーになる」

「中国からの輸入を減らせばアメリカの製品がどんどん売れる」

そんな単純な問題でないことは、少し勉強をしている人ならわかるはずです。でも、嘘をついてでも、無理やり敵を設定して対立を煽り、大衆を動かせた人が勝ってしまうのです。

こうした**ポピュリストへの期待の背景にあるのは、エリート層に対する不信感**です。トランプ大統領が誕生したのも、ビル・クリントン元大統領の妻で、エリート中のエリートであるヒラリー・クリントンへの反発があったからだと言われています。

大衆は「自分たちの生活が苦しいのは、政治の中心にいるエリート層が同じく裕福で力のある人たちを優遇してきたからだ」と不満を持っています。こうした不満を追い風に人気を高めていくのがポピュリストなのです。

では、日本はどうでしょう。CSESが日本人に対して行った調査によると、各国と同様の傾向が見られるようです。

「たとえリーダーが物事を成し遂げるためにルールを曲げるとしても、強いリーダーを持つことは日本にとって有益である」という項目に対し、「強く賛成する」14・5%、「やや賛成する」34・6%、「賛成でも反対でもない」25・5%、「やや反対する」17・1%、「強く反対する」8・4%という結果が出ています。賛成が反対を大きく上回っているのです。

おそらく、巨大な共産主義国家の中国や自国第一主義を強めるアメリカに少しでも対抗するためには、日本だってルール破りくらいはしてもいいじゃないかと多くの人が感じているのでしょう。

また、エリート層に対する不信感も募っているようです。「たいていの政治家は国民のことなど考えていない」では、「強く賛成する」16・3%、「やや賛成する」38・3%と合わせて5割を超えています。「たいていの政治家が気にしているのは、裕福で力のある人々の利益だけである」においても、「強く賛成する」「やや賛成する」の合計が5割を超えています。

こうした結果を見ると、**日本でもトランプ前大統領のような候補者や「ドイツのための選択肢」のような政党が現れれば、一気に躍進する可能性が高い**と考えられます。

トランプは、TPP（環太平洋パートナーシップ）から早々に離脱し、NAFTA（北米自由貿易協定）も見直し、相手国との二国間交渉で貿易問題をすべて自国有利に進めようとしました。

新型コロナウイルス騒動では、他国に向けて輸送途中にあったマスクや防護服を金の力で奪い取るということすらしました。

トランプは民主主義に基づいた選挙から選ばれました。しかし、その発言や行動は、世界中を混乱の渦に陥れました。

自らのツイートに「このツイートは、暴力を賛美することに関するツイッター社のルールに違反しています」と警告をつけられる大統領が出てくるなんて、誰も想定していなかったでしょう。

今後、日本や欧米諸国でポピュリズムがどのように存在感を持っていくのか。それは、僕ら有権者の選択にゆだねられているのです。

「国は借金をしまくっても潰れない」の嘘

新型コロナウイルス感染拡大によって、世界経済全体に「閉塞感」が漂っています。停滞する経済を立て直すための秘策として、最近また、**「MMT（現代貨幣理論＝Modern Monetary Theory）」**が注目を浴びるようになってきています。これは簡単に言うと、「国家はいくら借金しても破綻しないから大丈夫」という理論です。

MMTを唱える人は「国債をいくら発行しても、それ以上にお金を刷れば、確実に返済できるのだから、どんどん財政出動をしたらいい」と嘯《うそぶ》きます。しかし、それは間違っています。

1997年、それまで借金を重ねていた韓国は、国家財政破綻寸前となり、IMF（国際通貨基金）から資金提供を受けました。そのときの覚え書きには、資金提供のためのさまざまな条件が明記されました。

それらの条件によって、韓国の主要銀行のほとんどは外資系となりました。サムスンやLGなどの代表的メーカーも外資が過半数を占め、経営の主導権を握られてしまいました。

韓国は今も厳しい経済状態に置かれ、若者の失業者も多く苦しんでいますが、韓国主要企業が外資系の株主に支払う配当金は莫大な金額になっています。

IMFの救済を受けるとは、こういうことなのです。


たしかに、お金を貸してくれる人がいるうちはいくらだって借金できますが、そうでなくなったときにどうするのか。韓国のような道を歩まざるを得ません。

2020年3月、カルロス・ゴーン氏が逃亡したレバノンでデフォルト(債務不履行)が発生しました。

レバノンは1990年まで内戦が続き、その復興のために諸外国からたくさん借金をしました。でも、なかなか思うように返済できずに債務は膨れ上がり、900億ドルまで膨張。国内総生産に対する債務の比率が170%に達しました。

つまりは、複数の消費者金融から借りまくって首が回らない人のようになってしまったのです。

ちなみに、日本の国内総生産に対する債務の比率は、266%とレバノンを超えています。ただ、**今のところ日本の信用が高く、まだまだ貸してくれる人たちもいるので、破綻していないだけ**です。

MMTを信じ込んでいる人は、かつての「バブル崩壊」について勉強してみる必要があります。

当時の日本では、不動産は非常に価値あるものとして暴騰を続けていました。中古マンションですら「価格は上がり続けるもの」と誰もが信じて疑いませんでした。

銀行も、不動産投資を行う人に対して、担保さえあれば喜んでお金を貸しました。

新規に買うマンションそのものを担保にしてローンを組み、そういう物件をいくつも持つという人もいました。

「そんなにたくさんマンション持って大丈夫なの？」と今なら思うでしょうが、当時は、持てば持つだけ転売利益が得られたのです。

なかには、自分が住んでいるAマンションを担保にお金を借りてBマンションを買い、次にはBマンションを担保にお金を借りてCマンションを買い、今度はCマンションを担保にお金を借りてDマンションを買い……というやり方で「資産」を増やしていく人までいました。

まるで、永遠にそれが続けられるような錯覚に陥っていたわけです。

ところが、バブルがはじけて継続不可となると、Dマンションのローンは払い続けられなくなるので買値よりはるかに安値で手放し、担保に入れていたCマンションもBマンションもAマンションも没収となり、あげくは住むところもなくなった人が続出しました。

MMT信者は「それは個人の話で国は違う」と反論してきますが、**国ならいくら借金してもOKだというなら、税金を廃止し「無税国家」にして、僕らの年金も医療費もすべて借金でまかなってくれてもいい**でしょう。

それどころか、国民全員に働かなくて済むだけのお金を配ったっていいはずです。無限に借金できるとはそういうことのはずです。しかし、それができないから、国としては消費税を上げたりしなくてはならないわけです。

「日本だけ」の残念政策

「規制」は早い、「認可」は遅い

中国のある研究グループが、人間の脳の発達に関わる遺伝子をサルの脳に移植し、その認知能力を向上させたという論文を発表しました。

倫理的な観点から世界中の批判が集まっているものの、彼らは「人間の脳疾患に関する知見をもたらす」と主張しています。

中国はすでに、遺伝子を操作した双子の姉妹を誕生させており、他の国だと「道徳に反する」と非難されそうなことをこれからもどんどんやっていくでしょう。

日本や欧米諸国は、自分たちの生命倫理の価値観により遺伝子操作には規制をかけています。一方、そうした規制がない中国がどんどん研究を進め、最新の医療技術を確立させています。

倫理的な問題だけではなく、遺伝子操作は大きなリスクがあります。遺伝子を操作した人間の体に何が起こるかは誰もわかりません。また、何世代か後になって、急に影響が現れることも考えられます。その場合、影響を受ける人は膨大な数になるでしょう。

そういったリスクもあるため、各国は生命科学の研究において、慎重な立場をとっているわけです。

積極的に研究を進める中国と、規制をかけている日本や欧米諸国。どちらが正しく、どちらが間違っているとは断定できませんが、生命科学の分野で中国の存在感が増しているのは事実です。

その分巨額の研究費を集められるので、各国の優秀な人材も、最高の研究環境を求めて、中国に移っていくようになっています。

往々にして、**規制は技術革新にブレーキをかけます。**

とくに、日本は自らかけた規制によって、多くの可能性を潰してきた国です。

日本では、2015年7月、ドローンを規制する航空法の改正案が閣議決定され、同年12月から施行されました。人が集まっているところや重要な施設にドローンが落下すると危険だという理由から、早々に規制がかかったのです。

逆に、法整備はなかなか進まず、一方で、諸外国では「ドローンの技術をいかに活用するか」に関心が集まり、そこに焦点を絞った法整備が次々と行われていきました。実際に2016年6月には、中国ECサイトの大手である京東集団がドローン配送を正式にスタートしています。

日本で今後、街中でのドローン飛行ができるようになっても、中国などの外資系企業の参入が進むだけではないかと思います。中国の企業はすでに、ノウハウを蓄積させているので、日本企業ではとても太刀打ちできないでしょう。

結果的に、かつては世界一のラジコン技術を誇った日本は、ドローンを用いた新しい産業で著しく後れを取っているのです。

新しい技術は、それまでなかったものであるために、不明な部分や危険性もあるのは当然です。**日本は、その危険性に着目し規制をかけるスピード感はすごいのに、それを活用するための法整備となるとカメのように遅くなります。**

そうした「規制の早さ」と「認可の遅さ」は今に始まったことではありません。かつては個人情報保護の観点から、インターネットの検索エンジンにも規制がかけられていました。検索結果のページでサイトの画面を表示することを禁止していたのです。

この規制を受けて、ヤフージャパンは独自の検索エンジンをやめました。また、NTTの「goo」や楽天資本の「infoseek」も独自検索の提供をしなくなりました。結果的に、日本企業で検索エンジンを扱う会社はなくなってしまったのです。

一方、Googleはアメリカの会社なので、日本の法律に縛られる必要がありません。競合がいなくなった日本で、Googleの検索エンジンは一気に浸透したのです。

しばらく経って、この規制はなくなりましたが、すでにGoogleが市場を席巻していたので、日本企業が追いつくことはできませんでした。

これはドローンの状況とまったく同じです。日本はまったく学ぶことなく、同じことを繰り返しているのです。

もともと、日本の役人は、手柄を立てることよりも責任問題ばかりを気にする傾向にあります。国民の側も自己責任という概念が薄く、すぐに行政のせいにしたがります。

そのため、おかしな規制があちこちにかかっているのです。

2011年に、ある店で食中毒により5名の死者が出た際には、焼き肉屋のメニューからレバ刺しが姿を消しました。

たしかに、死者5名というのはインパクトがある数字です。しかし、それまでも日本中の焼き肉屋で毎日たくさんのレバ刺しが食べられていたのです。

それなのに、**たった1件の事件で「禁止」。**禁じてしまえば同様の事件は起きませんが、一つの食文化も失われてしまいました。

もっとも、「加熱して食べてくださいね」と言いながら暗黙の了解でレバ刺しを出している店は今もあります。それほどバカげた規制だと、みんなが思っている証拠でしょう。

また、コンニャクゼリーを喉に詰まらせて子どもが亡くなったときも、まったく商品が出回らなくなり、好きだった僕はがっかりしました。

お餅を詰まらせて亡くなる人のほうがはるかに多いのに、そこはスルーしてなぜコンニャクゼリーだけ？　そんな、中途半端な規制がいまだに残っているのです。

「外国人労働者受け入れ」の問題点

近い将来、日本が直面する大きな問題は**「労働者不足」**です。

国立社会保障・人口問題研究所の発表によれば、2015年には約7700万人いた日本の生産年齢人口（15歳から64歳の人口）は、2029年には約7000万人、2056年には5000万人を下回ると試算されています。

労働力不足の問題について、解決法は2つあります。

1つは、ロボットに仕事をしてもらうこと。

もう1つが、外国人労働者を受け入れること。

日本が選んだのは後者です。ロボット開発には手間とお金がかかるし、成功するかどうかもわからないため、すぐに来てくれる外国人に頼ろうというわけです。

しかし、それはすなわち、開発競争に乗り遅れるということを意味します。86ページでもフランスのマクドナルドの例を挙げましたが、**労働力不足は技術開発や導入のチャンスなのです。外国人労働者に頼っていると、その機会を失います。**

かつて、産業革命の時代、人件費が安かった中国は、なんでも人力でこなしてきたため機械化が遅れ、列強のいいようにされました。今、日本が同じ道を歩んでいるのではないかと、僕は危惧しています。

明らかに労働者が不足することから、政府は2018年、「特定技能制度」を設け、外国人労働者を受け入れるための改正出入国管理法を成立させました。

もっとも、成立前から外国人労働者は増え続けており、2017年の時点で約128万人の外国人が日本で働いていました。

足りない労働力を提供してくれる外国人労働者は、一見ありがたい存在のように思えます。しかし、それによって生じる問題も大きいのです。

ヨーロッパ圏の国には、アフリカや中東などからの不法移民が多数いて、生活のために安い賃金で働いています。いわゆる3K仕事はみんなやりたがらないので、不法移民たちがその穴を埋めているわけです。

そうした不法移民の増加により、治安悪化や民族的な対立が起き、移民排除を望む動きも強まっています。


日本では、不法移民こそヨーロッパ圏の国よりは少ないですが、外国人労働者に最低賃金を大きく下回る時給で働かせたり、休日をほとんど取らせなかったり、法的に問題のある働かせ方をしているケースが少なくありません。

2019年、愛媛県今治市の一大産業である今治タオルを製造する工場で、ベトナム人技能実習生が過酷な労働環境で働かされていることをNHKが告発しました。月の残業時間は180時間にもおよび、残業代も未払いの状態だったそうです。

技能実習生は他の仕事に就くのが難しいため、厳しい労働環境に従わざるを得ません。どうしても日本人労働者に比べて立場が弱くなってしまいます。そこにつけこんだ経営者が「技能や知識の習得」という本来の目的を無視して、「使い勝手のいい働き手」として過酷な労働を強いているのです。

ただでさえ、外国人が英語のほとんど通じない日本で働くのはハードルが高いのです。そんな中、**せっかく来てくれた貴重な労働者たちをまるで「使い捨て」のように扱っていては、誰も日本で働きたいと思わなくなります。**

先ほど労働力不足解消の方法を2つ挙げましたが、そもそもの原因は**「少子化」**にあります。少子化によって、働き盛りの人口が減少の一途をたどっているのです。

政府も少子化対策に躍起になっていますが、効果は上がっていません。

少子化対策は政策に加えて、職場の変革が必須です。ところが、企業の意識も相変わらず低いままです。

三菱ＵＦＪモルガン・スタンレー証券の幹部男性社員が、育休取得の際に不当な休職命令を受けたと裁判所に地位の保全申し立てを行った件など、それを如実に表しています。

日本はかつて、出産数の多い国で、１９５０年には合計特殊出生率は３・５を超えていました。しかし、今は１・５を切っています。

日本に限らず、先進国はどこも少子化が進みましたが、フランスなど回復傾向を見せている国もあります。

そうした国には、以下のような共通点が見て取れます。

- **勤務時間以外の残業、職場からの連絡がない**
- **育休、産休を取ったことによる職場での不当な扱いは違法**
- **育児による転職や退職が職歴の傷にならない**

育休や産休を取ることで不利益を被るような社会だと、出生率が下がるというのは、世界共通のようです。

これまで日本では、女性が職歴に傷をつけることで子育てが成り立ってきました。

そうした在り方を変えないでいれば、少子化の解決もありません。

「地方自治」の危機

博多駅前の道路陥没と岡山市の堤防決壊

２０１８年7月の豪雨により、岡山市北区菅野地域で、ため池の堤防が一部決壊しました。さらに、ため池と対岸集落をつなぐ生活道路が崩壊しました。集落に取り残された19世帯の人々は、通学にも生活用品の買い出しにも、マムシが出る山の中の獣道を30分かけて移動するしかなかったそうです。

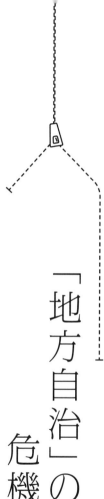

不便を訴える住民に対し、岡山市が伝えてきたのは、堤防の復旧に3、4年かかり、迂回道路の建設については目途が立たないというものでした。

一方、２０１６年11月に福岡市博多区の駅前交差点で大規模な道路陥没事故が発生したときはどうだったでしょう。普通なら数か月かかると言われた復旧作業は、たった1週間で完了しました。

この差は、いったいなんなのでしょうか。

今、僕らが使っている道路、橋、上下水道といったいわゆる**「インフラ」**は、だいたい1960年から1980年くらいをピークにつくられています。すでに大半が50年を経過しており、劣化が進んでいます。

実際に、阪神・淡路大震災では、高速道路が横倒しになり、東日本大震災では、水戸市役所や郡山市役所など、陣頭指揮を執る中心地となるべき庁舎が壊れて使えなくなりました。

現在、日本全土に約73万もの橋梁《きょうりょう》がかかっていますが、その中で、つくられてから50年経過したものが、2023年には約4割に達するそうです。そして、そのほとんどが新しく架け替えられることなく、撤去か通行止めになります。

このように、地方のインフラはどれもボロボロだけれど、手の打ちようがありません。**メンテナンスには大きなお金がかかり、財政にそれを支払うだけの余裕がないの**

です。

言うまでもなく、公共施設のメンテナンスには税金が使われます。人件費には多少の違いはありますが、使われる資材費などは都会も地方も同じです。となれば、働いて税金を納める人が少ない地方が、大都市と同じように橋梁を新しく架け直すなんて、とうてい無理な話です。

だから、博多駅前の陥没はすぐに修復されたけれど、岡山市北区菅野地域は放置されたた、というわけなのです。


かつて、日本の人口が増加して勢いがあった頃は、地方のインフラ事業にもお金が回せました。地方もそれなりに活気ある生活がなされていたから、お金を回す意味もありました。田中角栄が唱えた日本列島改造論も現実味があったわけです。

しかし、今は労働人口がどんどん減っていて、逆に高齢者は増えています。**働いて税金を納める人が減り、医療など社会保障を必要とする人が増えているのです。どう考えたって、税金が不足するのは明らかです。**

加えて、効率の問題もあります。毎日、博多駅前を利用する大勢の人たちと、わずか19世帯では、「それをやるべき」動機付けも違ってきます。

地方に暮らす人たちからは「行政は自分たちをないがしろにしている」という不満も聞かれます。彼らは、都会に住む人が得をしていると感じているようです。

しかし、人口1000万人を超える東京に橋を1本架けるのと、人口1万人の町に架けるのでは、一人あたりに与えられる価値はまったく違ってきます。

言ってみれば、東京で暮らす人は、非常に多くの他人となんでも分け合って暮らしているようなものなのです。

しかも、これからさらに東京一極集中が進むと言われています。東京都政策企画局の推計によると、東京の人口は今後もしばらく増加し、2025年には1400万人を超えると見込まれています。新型コロナウイルスの感染対策として、リモートワークが一気に浸透し、地方への移住を考える人も出てきたので、一極集中はもう少し緩やかにはなるでしょう。しかし、全体的な流れは変わらないはずです。

日本全体の人口は減少しているのにもかかわらず、東京の人口は増えている。これが意味するのは、地方で過疎化が一層進行するということです。

そうなったとき、不便なく暮らしていけるだけのインフラを維持できる地方自治体がどれだけあるでしょうか。

僕の試算では、日本全国のインフラや社会保障を今のまま維持しようとしたら、毎年2%ずつ消費税を上げていかねばなりません。10%にしただけで大騒ぎなのに、そんなことができるはずがありません。

となれば、インフラ改修事業を絞っていくしかありません。絞る際には、改修事業の恩恵を受ける人が少ないところから切っていくことになります。**労働人口が少なく税収が減少し続ける地方で暮らすなら、老朽化したインフラに我慢する覚悟がないといけない**のです。

「都会のまね」に精を出す地方自治体

人口減少や高齢化などが進む現状をなんとかしようと、各地で**「地方創生プロジェクト」**が進められています。

その中でかなり大規模なのが、四国に新幹線を走らせる計画です。

実現すると、新大阪から松山までの所要時間が約2時間短縮されるらしいのですが、それにどれほどのニーズが見込めるのかは疑問です。

東海道新幹線は東京・名古屋・大阪、山陽新幹線は大阪・広島・福岡と、大都市間を結んでいるため、輸送人数が多いのです。一方、四国には政令指定都市がないため、他の新幹線よりも輸送人数が少なくなるでしょう。

四国に限ったことではなく、新幹線を通せば何かいいことが起きるというのは幻想です。推進派はすぐに「経済効果」を口にしますが、それは一瞬のもので、後々のメンテナンスで負の遺産となる可能性のほうがはるかに高いのです。

たしかに、新幹線のように大きな公共事業は、地元の業者にお金が落ちるし、完成までの長い期間、雇用も進むのでそのときはメリットを享受できます。しかし、スケールが大きいものほど、維持や補修のためのお金もたくさんかかります。

それを計算しないで闇雲につくろうというのは無責任です。

そもそも、**本当にその地方が活性化し、かつ利益を出し続けられると思うなら、地元の企業や自治体が喜んで投資するはずです。**それもないのに、国のお金に期待しているところからしてダメなのです。

実際、「四国の新幹線実現を目指して」というウェブサイトに掲載されている資料によると、建設費の3分の2は国費で賄われる試算になっています。

地方で「インフラが整ってない」「不便だ」と嘆いている人たちは、すぐに大都市圏のまねをしようとします。

しかし、立派な箱物をつくってみても、大都市にはかないません。いずれみすぼらしくなる箱物をつくるより、自分の町にしかない魅力を掘り起こしたほうがいいでしょう。

フランスに「ボーヌ」という小さな町があります。人口はたったの2万人ですが、ブルゴーニュワインの産地として訪れる観光客があとを絶ちません。彼らが落とすお金で、その町の生活インフラはしっかり守られています。

日本の地方もこのように、すでにある財産を見直すことが求められています。

もっとも、それにはリーダーの資質が問われます。残念ながら、首長の中には自分の支持団体にお金を落とそうとしたり、ほとんど意味のない事業にお金をつぎ込んだりする人も多いのです。

バブル期真っ盛りの頃、当時の竹下登《のぼる》政権が行った政策に「ふるさと創生事業」があります。各市町村に1億円ずつ配って地域振興に役立ててもらうというもので、正式名称は「自ら考え自ら行う地域づくり事業」。使い道に関して国は口を出しませんでした。

では、どのようなことに使われたでしょうか。それこそ、**リーダーの資質が1億円の使い道に如実に表れることになりました。**

多くが、美術館や博物館など文化的な箱物をつくりました。なかには、今も観光客を呼べるようなすばらしいものをつくった自治体もあります。

箱物以外では、モニュメントも多くつくられました。

函館市は、イカのモニュメント。

上北郡百石町《ももいしちょう》は、緯度がニューヨークと同じだという理由で自由の女神像。

安八郡《あんぱちぐん》墨俣町《すのまたちょう》は、純金のシャチホコ。

これらをつくることで、どのように地域振興に寄与するのか。過去に戻って、決定の現場に立ち会わせてもらいたいものだと思います。

さらに突飛なところでは、仙北郡仙南村が村営キャバレーの経営に乗り出しましたが、赤字続きで消滅したようです。つまり、1億円は消えたのです。

北群馬郡榛東《しんとう》村は、そのまま全額、貯金するという道を選んでいます。当時はかなり批判もされたようですが、15年間で6000万円の利子がついたそうです。意味のない使い方をしてしまった自治体よりはよほど賢い選択だったと思います。

すでに時代も違いますから、今の市区町村ならもう少しまともな手立てが打てるかもしれません。しかし、国頼みで自分で決定することをしてこなかったところほど、往々にしてこういうことをやりがちなのです。

「誰がトップでも変わらないよ」と政治的無関心を貫く人が増えていますが、コロナ禍の首長の対応を見て、リーダーの重要性に気づいた人も多いと思います。**地方が今後どのような姿になっていくか。それはリーダーの手腕によるところも大きい**のです。

「選挙」では何も変わらない

「1人1票」が生み出す不平等

2015年、当時の大阪市長だった橋下徹《とおる》氏は、二重行政のムダを省くことを目的とした大阪都構想（大阪市を廃止して5つの特別区を設けるというもの）をぶち上げ、民意を問う住民投票を行いました。

結果は、投票数のわずか1％ほどの約1万票差で否決されました。

このときの投票傾向には、年代差があったことが話題になりました。産経新聞が行った出口調査によると、20代から50代では賛成が過半数を超えていたものの、60代の51・8％、70歳以上の63・8％が反対に回りました。

高齢者は「今の生活を守りたい」という思いが強く、変化を目指す大阪都構想には反対する人が多かったのでしょう。

2020年11月には再び大阪都構想の賛否を問う住民選挙が行われましたが、また も否決されました。産経新聞が行った出口調査によると、10代と30代から50代で賛成が過半数を超えたものの、60代の54・1%、70歳以上の61・3%が反対に回りました。今回は20代の反対も過半数を超えましたが、全体として、高齢者層が反対を押し上げたという点は前回の選挙と同様です。

この2つの選挙結果は、非常に大きな問題をはらんでいると僕は思っています。**働いて税金を納める層よりも、税金によって社会保障を得ている人たちの意向が反映された政治が行われるということを示している**からです。

それは国としてどうなのか。

もちろん、政治家も高齢者優先で国を動かすことに危機感を抱いていないはずはありません。世界における競争力確保や少子化問題など、日本の未来を本気で考えたら、これからを担う若い世代に手厚い政策を施すべきだというのは、誰だって考えることです。

でも、実際には、なかなかそうはなりません。

なぜなら、若い層よりも高齢者層の人口が多いからです。そして、一生懸命働いて税金を納めている人も、年金で暮らしている人も、選挙では同じように一票を与えられているからです。

日本は**「1人1票」**の平等選挙が原則だと学校で教わります。ただ、年齢別の人口比という視点で見ると、かなり偏りがあるのです。

どんなにすばらしい志を持っていても、選挙で勝たなければ、政治家になることはできません。だから、立候補者たちは人口で勝る高齢者の喜ぶ政策を公約に掲げなくてはならないのです。


以前は衆議院・参議院ともに70%を超えていた投票率は、今では50%前後をうろうろするようになりました。若い世代を中心に、「自分が1票を投じても何も変わらない」という諦めがあるのだと思います。

こうした傾向に対し、「若い人は選挙にも行かず、文句ばかり言っている」と批判

第48回衆議院総選挙における年齢別有権者数（188投票区の抽出調査）

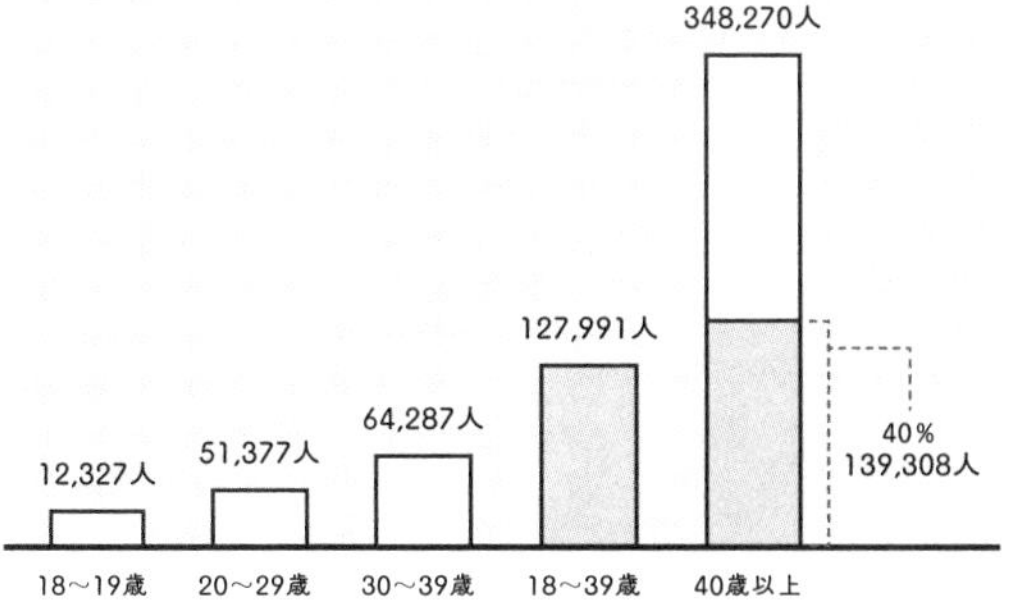

出典：「第48回 衆議院議員総選挙年齢別投票者数調」総務省

する声があります。

一方で、2016年6月、改正公職選挙法が施行され、ようやく18歳から選挙権が与えられるようになりました。これで若い世代が真面目に選挙に参加すれば、若者のために動く政治家も現れるようになるだろうと期待している人もいるでしょう。

ただ、残念ながら、そうはなりません。

実は、39歳以下の若者が全員、投票したとしても、40代以上の40%が投票すればその数を簡単に抜かれてしまうのです。上のグラフは188の投票区の抽出調査を基にしていますが、有権者全体でもこの事実は変わりません。これからも大阪都構想の住民投票のような結果は起こりうるのです。

こうした事実を伝えずに、「若者は投票に行けば、世の中は変わる！」と言い続けるメディアは不誠実だと僕は思います。

どのみち、若者には勝ち目がないのが選挙であり、その選挙で選ばれた政治家が政策を決めているのが日本なのです。

イギリスのＥＵ離脱を問う国民投票では、高所得者層と若者は「残留」を、高齢者と裕福ではない層が「離脱」を選んだと言われています。

ここでも、税金をたくさん納めている人たちではなく、社会保障に頼って生きている人たちの意見が尊重されてしまいました。

どうやら、失業しているような人たちは「離脱すれば製造業が国内に戻るので雇用が増える」と考えたようです。彼らは、自分たちで努力、挑戦するという意欲はなく、受動的な期待感で動いています。

一方で、たくさん稼いでいる人や若者は、グローバル社会で闘っていく道を選びたかったのに、そうはならなかったのです。

客観的に見て、選挙というのは、国をいい方向へ持って行くとは限りません。**選挙**

が多数決によって集団の意思決定をするものだという原則がある以上、年齢別の人口比などによって、どうしても偏りが出てきてしまいます。高齢化が進む日本で、今後さらに高齢者を優遇する政治家が増えていったらどうなるか……。みなさんは遠くない未来、その結果を知ることになるでしょう。

政治家が大切にしているのは……？

国税庁の調査によると、2018年度の日本人の平均年収は441万円だそうです。あくまで平均値で、200万円から300万円くらいの人も大勢います。だから、年収1500万円などという恵まれたサラリーマンは、大変な高給取りに入ります。

ただ、収入が上がれば、所得税、住民税、社会保険料も高くなり、その割合は30％以上になります。つまり、年収1500万円だと、500万円近く徴収され、手元に残るのは1000万円ほどです。

所得税の最高税率は45％で、年収4000万円くらい稼いでいるような経営者や有名弁護士、開業医などは、収入の半分は没収されているようなものです。

しかし、本当のお金持ちというのは、こういう次元ではないところに存在します。

たとえば、ある元総理大臣の母親。大資産家であるこの高齢女性は、保有している株の配当金だけで年間3億円もの収入があります。

さきほどの計算例だと、45%にあたる1億3500万円を所得税として収めることになりそうですが、そうではありません。株の配当金の税率は20%ちょっと。だから、税金は6000万円ほど収めるだけで、あとは全部、自分のものとなります。

必死に働いて、1500万円稼げるようになったサラリーマンの手元には1000万円しか残らないのにもかかわらず、何もしないおばあさんには2億4000万円が渡るわけです。

まったくおかしな話ですが、これでも改善されたのです。

配当金や売却して得たお金など、株式投資による収益は、1953年から36年間にわたって原則非課税でした。そのため、株をたくさん持っているようなお金持ちはどんどん得をすることになり、批判が出ていました。

そこで、少しずつ徴収するようになり、2014年からやっと実質20%となったのです。

それにしても、どうしてこんなお金持ち優遇の政策が長くとられているのでしょうか。それは、**お金持ちのほうが政治家の心をつかみやすい**からです。

第一に、お金持ちは政治献金ができます。そのときに、政策決定権を持つ政党に寄付して自分たちに有利な政策を掲げてくれることを期待します。つまりは、自民党に多額の寄付をしているわけです。

一時期、民主党が政権を取りましたが、それを奪還してから自民党への政治献金は増加し続け、2012年には約14億2000万円だったのが、2018年には約28億円へと増えています。

これによって、「お金持ちが自民党に献金する→自民党がお金持ちを優遇する」というサイクルががっちりでき上がっているわけです。

「いや、今の日本は二極化が進んで、むしろ貧乏人が増えている。1人1票の選挙では、貧乏人の味方をしてくれる政党が勝てるのではないか」

こう反論されるかもしれません。

しかし、ここでもお金の力が発揮されます。

選挙は印象が大事です。本当はお金持ちを優遇している政治家も、普段からお金をかけてさまざまなイメージづくりをしています。あたかも、貧しい人たちに寄り添っているかのごとく見せています。

そのため、みんな騙されてしまうのです。

アメリカのトランプ前大統領もこうした政治姿勢でした。

彼は自分自身が大金持ちで、周囲にいる人たちも同様にとても豊かでした。だから、彼が本当に守りたかったのは富裕層ですが、それなのに、貧困層からも人気が高かった。

それは、十分にお金をかけているからできることで、やはり、貧乏人に勝ち目はないのです。

Chapter 5

人間関係

「付き合い方」を間違えている人たち

令和時代の「人付き合い」

炎上を起こすのは「たった1％」

慶應義塾大学の田中辰雄教授と、国際大学グローバル・コミュニケーション・センターの山口真一准教授が、２０１４年に調査会社のインターネットモニター約２万人を対象に「炎上時の書き込み」について調査しました。

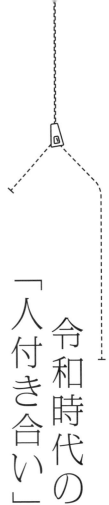

その結果、**炎上時の書き込み経験があったのは、わずか1・1％に過ぎなかったそうです。**

つまりは、炎上させているのはごく一部の人たちだけだということです。その一部の人たちが何度もしつこく書き込むことで、あたかも多くの意見のようになってしまっているだけなのです。

以前、モデルの道端アンジェリカさんが、テレビのバラエティ番組で自身の結婚観を問われ、「週に1回は子どもをベビーシッターに預けて夫婦でデートしたい」というような発言をしました。

ごく当たり前の、むしろ控えめな望みだと思います。毎日デートしたいと言っているわけでも、子どもをほったらかしにしたいと言っているわけでもありません。慌ただしい日々の中で、週に1回ぐらい夫婦でゆったりした時間を過ごしたいというのは、子育て世代の共通した願いではないでしょうか。

このアンジェリカさんの発言に対し、「そうそう、私もそれが理想」と共感した人は多いはずなのです。でも、そういう人はわざわざネットに書き込んだりはしません。

一方で、何か気に入らなかった人、たとえば、自分にはベビーシッターに払うお金がないとか、子どもを人に預けるなんてけしからんと決めつけているとか、そもそもアンジェリカさんの美貌を妬んでいるとか、理由はわかりませんが、そういう人が猛烈に批判を始めました。

その批判に対し、「母親の精神的な安定のためにもベビーシッターの活用は有効」といったアンジェリカさんを擁護するまともな意見も寄せられましたが、圧倒的に批判側のエネルギーが勝っていました。

ネットで炎上していることを冷静に観察してみると、だいたいが「どうでもいいこと」です。アンジェリカさんの発言についても、99％の日本人はなんとも思わないでしょう。だって、自分には関係ないのですから。

だから、アンジェリカさんもここまで大きな反響があるとは思わずに発言したのだと思います。誰に迷惑をかけるでもない自分の結婚観など、そもそも気にもかけられないだろうと。

ところが、**自分には関係のないことでも食いついて「怒ることを趣味にしている」人たちが存在する**のです。そういう人たちにとって、ネットは格好の場。身元がばれないままに、いくらでも他人を罵倒できます。

彼らは、誰かを罵倒できるなら、材料はなんでもいいのです。普通の人なら「どうでもいい」とスルーするようなことでも、そこに何か見つけ出しては怒りをぶつけてくる。とても感情的で無為な時間を過ごしているのです。

どんなことでも感情論を優先させてしまう人がいますが、それは間違いです。そういう人は自分を客観的に見ることができないために、どんどんエスカレートしてしまうのです。

「ネット右翼」いわゆるネトウヨは、韓国人の国民性について「感情的」と批判します。ネット上にはそうした書き込みが溢れています。

しかし、彼らの中に、実際に韓国人と話したことや、韓国に行ったことがある人はほとんどいないと思います。もし、そういう経験があれば、自分の書き込みがいかに現実とかけ離れているのかに気づけるはずですから。

彼らは、自分が何か具体的に迷惑を被ったわけでもないのに、有名人のちょっとした発言などをわざわざ探し出して怒りを爆発させているのです。

それにしても、**相手を「感情的だ」と批判する書き込みをしつこく続けるという、その行動のほうがずっと感情的**だと僕は思います。

要するに、今のネットには「お金はないけれど時間は余っている」という暇人が溢れているのでしょう。

２０１７年に、金融広報中央委員会が行った調査では、かなり衝撃的な結果が出ました。

日本全国の20歳以上で、かつ２人以上で暮らす８０００世帯を対象に調べたところ、金融資産がゼロの世帯が31・２％もあったそうです。

気ままな一人暮らしではないのに、これほど貧乏。となれば、ほとんどお金のかからないネットに娯楽を求めるしかないのでしょう。

お金がある人は、もっと楽しいリアルな趣味を持っていて、ネットの炎上騒動になど参加している暇はありません。

一方、**時間はあるけれど、その時間を有意義に過ごすためのお金がないと、ひたすら、ネットで関係のない人を攻撃して憂さを晴らしたくなる**のかもしれません。

そういう一部の人たちが、自分で自分の怒りに火をつけ、狂ったように暴れているのが炎上現場です。

誰も「嘘を見破れない」世界

日本経済新聞の電子版に、ＭＭＤＬａｂｏとテスティーという二つの会社が共同で行った調査に関する記事が掲載されました。

その調査では、スマートフォンを持つ18歳から69歳の男女にアンケートを行い、１５３３人から回答を得ています。

「フェイクニュース」に関する質問では「フェイクニュースを見たことがある」と答えた人が34・４％に上っています。ネット上に多くのフェイクニュースが流れていることを示している結果です。

ただ、その「見た」というのは、おそらく後から「フェイクだったんだ」と気づいたのではないでしょうか。つまり、見ているときには気づいていないのではないかということです。

というのも、「フェイクニュースを見破る自信があるか」という設問に関して「自信がある」と答えたのは、10代11・１％、20代９・５％と若い世代でも決して高くなく、50代に至っては２・８％しかいませんでした。

さらに、国際大学グローバル・コミュニケーション・センターのグループが10代から60代までの６０００人を対象に行った調査結果も、フェイクニュースに対する脆弱さを裏付けています。

そこでは、実際に拡散した9つのフェイクニュースについて聞いているのですが、それらを嘘だと気づかなかったのは60代で84・4％、50代で80・1％、40代で74・0％に上ったそうです。

つまり、**年齢に関係なく、多くの人がネットに流れる嘘の情報を、そのまま信じ込んでいる**のです。

昔から、デマの拡散はよくありました。しかし、それは人の口から口へと伝わるものが大半で、広がり方も規模が小さかったし、伝えている人の顔が見えました。だから、伝えるほうとしても、あまり無責任なことはできませんでした。

ところが、ネットなら言いっぱなし。およそ、ソースの確認など行われません。

「大地震で○○動物園からライオンが逃げ出した。近隣の人は気をつけて」

「コロナウイルスは26度のお湯で死滅する。試してみて」

こうした、あたかも親切な人によって与えられたかのような偽情報を見たときに、「ソースはどこか」「エビデンスがあるのか」と考える人は少数派で、たいていは「早く仲間に教えてあげなくちゃ」と拡散します。

つまり、悪意のある人のくだらない快楽のために、善意の人たちがいいように使われてしまうのです。

僕は20年ぐらい前、テレビのインタビューで「嘘は嘘であると見抜ける人でないと（掲示板を使うのは）難しい」と発言しました。この言葉は2ちゃんねる内で名言的な扱いを受け、現在でも当時のキャプション画像が使われていたりします。

僕のこの考え方は今も変わっていません。インターネットでは、真偽不明のさまざまな情報が飛び交っています。その中に嘘が紛れ込んでいる、もっと言えば、ほとんどが嘘だという場合もあります。だから、**ある程度リテラシーがある人でないと、ネット上に漂うフェイクニュースや陰謀論のようなまったく根拠のない情報に騙されてしまう**のです。

スマートフォンの普及により、今はほとんどの人がネットを日常的に使う世の中になりました。その分、「嘘を見抜けないのにネットを使っている人」も増えてきています。そういう人が誤った情報を拡散させているのです。

街を歩いているときに、見知らぬ誰かが寄ってきて「実はね……」と耳打ちされたなら、たいていの人は不審に思うでしょう。

それなのに、最初から騙す目的で、顔も知らない誰かがつくり上げたことを、簡単に人は信じてしまうのです。

「人の幸福」は「自分の不幸」

「私が苦労したからお前も苦労しろ」の呪縛

統計数理研究所が1953年から5年ごとに行っている**「日本人の国民性調査」**というものがあります。その名の通り、日本人の国民性の変化について長く分析を続けています。

アンケート形式のいくつかの設問の中で、毎回行われている「あなたは、自分が正しいと思えば世のしきたりに反しても、それをおし通すべきだと思いますか、それとも世間のしきたりに、従った方がまちがいないと思いますか？」というものへの答えを見ると、日本人特有の気質が見えてきます。

「おし通せ」と答える人の割合はどんどん減っているのに対し、「従え」は、毎回ほぼ変化することなく4割弱を占めています。

法律上は昔より個人の権利が拡大し、それなりに自由度が高くなっているはずなのに、**集団の中での「空気を読む態度」のようなものは、より厳しく求められているの**かもしれません。

もう一つ、データを紹介しましょう。

国連の関連団体が行っている**「世界幸福度報告書」**の2019年版によると、幸福度が高いのは1位フィンランド、2位デンマーク、3位ノルウェーと北欧諸国が占め、日本は156か国中58位でした。

ちなみに、アメリカは19位、韓国は日本より上の54位です。

この幸福度の判定は、以下の6つの要素を分析した結果からなされます。

- 一人あたりの国内総生産
- 社会的支援の充実ぶり
- 健康寿命

・人生の選択の自由度
・寛容さ
・社会の腐敗の少なさ

この中で日本は、健康寿命は2位と健闘しているのですが、人生の選択の自由度は64位、寛容さは92位と非常に低くなっています。

つまり、**日本人は、不寛容で選択肢の少ない息苦しい世界で、我慢しながら長生きしている**ということになります。

上位を占めている北欧の国家は、税金が高い代わりに福祉が充実していることで有名です。

たとえば、デンマークは消費税が25％と高くなっている一方で、医療費や教育費は基本的にかかりません。スウェーデンは育休が父母合わせて480日取得でき、最初の390日間は給与の8割が受け取れます。

こういう社会福祉制度について、日本は著しい後進国だから少子化も解決できないのだと思います。いまだに抜本的な取り組みがなされていないのが現状です。

どうも、日本人には、それが辛く苦しいことであっても、**「自分たちがしてきたこ**

とは次の世代もするべきだ」という呪縛があるようなのです。

それが色濃く表れている例があります。日本の分娩事情を知っているでしょうか。フランスでは約8割の妊婦さんが無痛分娩を選び、国がその費用を負担します。ところが、日本では保険適用外で無痛分娩を選ぶのは約6%。

もちろん、費用の面で無痛分娩を選ばない人は多いでしょう。ただ、それを踏まえても、フランスの13分の1というのはあまりに少なすぎるように思います。

この数字の乖離はどこから来るのか。僕は日本の「空気を読む国民性」に理由があるように思えてなりません。

お産というのは、痛い思いをして当たり前だから。

これまでみんな、そうしてきたんだから。

お腹を痛めたからこそ、我が子はかわいいのだ。

妊婦の母親がこのような主張をして、無痛分娩に反対するケースがよくあるそうです。まさに前の世代から続く呪縛と言えます。

諸外国ではとっくに流通していた液体ミルクについても、日本では２０１９年になってようやく販売開始されました。

粉ミルクはお湯を沸かして溶き、適温に冷ましてからでないと赤ちゃんには与えられません。一方、液体ミルクなら、外出先でも災害時でも簡単に使うことができます。

そういう**「便利」や「快適」を、出産や子育てに求めることは、あたかも罪深いことであるかのような「苦労信仰」が日本人に根付いている**ように思えてなりません。

ビジネス界も同様です。多くの日本の職場では「俺たちはみんなこうしてきたんだ」という理論がまかり通っています。

苦労は買ってでもするもんだ。

いちいち聞かずに周りを見て覚えろ。

とにかく「はい」と言えばいいんだよ。

これまた、エビデンスはまったく見当たりません。

もっとも、上司が部下に何か命令するのは組織として当然です。しかし、残念なことではありますが、見当違いな上司もいますから、その命令が合理的とは限りません。時代についていけない考え方で若い部下を頭ごなしに怒鳴りつけていると、組織はどんどん弱体化していってしまいます。

普通に考えれば、自分たちが、苦しかったり辛かったり不合理に感じたりしたことは、次の世代にはさせないようにするのが、組織としての合理的な振る舞いでしょう。

ところが、多くの職場で先輩たちは、自分たちと同じように後輩が不合理な目に遭うことを求めているのです。学校でも、こうした不合理なルールが代々受け継がれていることは3章で紹介しました。

「空気を読む」「しきたりに従う」のは、狭い世間の中で周りの人と問題を起こさずにうまくやっていこうという、先祖代々から続く日本人の処世術のようなものなのかもしれません。ただ、**ここまで世界がグローバル化し、多様化してきている時代には、その処世術がむしろ「生きづらさ」につながっています。**

とくに「自分がした苦労を他の人にもさせる」のは、自分に何の得もなく、相手を苦しめるだけです。

まさに百害あって一利なしなので、なるべく早く日本全体がこの呪縛から抜け出すべきなのです。

「当然の権利」すら受けづらい日本

日本1・6％、フランス5・7％、ドイツ9・7％……。

これ、なんの数値だと思いますか？

人口における生活保護の利用率です。**日本は生活保護を受けている人の割合がダントツで低い国**なのです。

生活保護は、以下の条件が揃えば受けられます。

・世帯収入が最低生活費以下
・預貯金、現金、保険、土地、家、車などの財産がない
・援助してくれる家族、親族がいない
・病気などの理由があって働けない

ここで言う「最低生活費」は、暮らしている地域や年齢、世帯構成などによって変

わってきます。たとえば、都内の賃貸アパートで暮らす30歳の独身者であれば、13万円強というところでしょう。

ちなみに、現行の生活保護法の下で、その利用率が最も高かったのは1951年。戦後の焼け野原の時代で、約204万6000人が利用していました。当時の人口は8454万人ほどでしたから、利用率は2・4%程度です。

その後、景気がよくなるにつれて利用率は下がり、バブルの頃にはかなり低くなっています。

今また増加傾向にはありますが、それでも日本は、一部で言われているような生活保護大国などではありません。

なにしろ、先に挙げた4項目を満たすのはそう簡単ではありません。

生活保護を申請しても、手持ち現金や貯金を合わせて10万円を超える額があれば「まだ頑張れますね」と拒否されてしまう世界なのです。

とくに、親元で暮らしている引きこもりの人たちは、その多くが働きたくても働けない状態に置かれていますが、援助してくれる家族がいるということで申請は通りません。

これまで引きこもりは、若者に多い現象とされてきました。しかし、内閣府の調査では40歳から64歳の中年層の引きこもりが推計61万3000人に達し、15歳から39歳の推計54万1000人を上回ることがわかりました。

中年層の引きこもりの7割は男性で、退職したり、職場でうまくいかなかったりしたことが大きな原因になっているようです。

そうした引きこもりには、独身のままか、結婚しても離婚して親元に戻っている人も多く、80代の親がわずかな年金で50代の子どもの面倒を見ているといった、いわゆる「8050問題」がクローズアップされるようになりました。

これは、日本独特の現象と言えます。

欧米では、子どもは自立していくことを前提で育てられます。子どもが巣立った後は、夫婦2人の生活に戻るのが当たり前です。

一方、日本は、昔は祖父母・父母・子どもたちという多世代世帯だったのが、祖父母は外れて核家族化したものの、親子の関係だけは濃密に残っています。

そのため、欧米なら「勝手にしなさい」と突き放すところを、**日本では「親の責任**

でもあるのだから、なんとかしなくては」と引き受けてしまいます。結果的に、「援助してくれる家族、親族がいない」という項目に当てはまらなくなるわけです。

逆に言うと、親が援助さえしなければ、引きこもりの人たちも生活保護を受けて一人で生きていくことになります。

ただ、日本では、生活保護を受けることについて「働きもしないでお金をもらうなんてずるい」という捉え方をされがちなので、どうしても親は自分たちで責任を取ろうとしてしまうのでしょう。

世間を気にするあまり、適切な選択をできずに、引きこもりの子どもも、その親も不幸になってしまっているのです。

「恋愛」も不都合な真実だらけ

男女の「切ないすれ違い」

少し前、『ハーバード数学科のデータサイエンティストが明かすビッグデータの残酷な現実』（クリスチャン・ラダー著／ダイヤモンド社）という本が話題になりました。

調査データを根拠に、いろいろなテーマについて検証しているのですが、なかでも面白かったのが男女の違いを扱ったものです。

そこでは、さまざまな年齢の男女が、それぞれ魅力的だと感じる異性の年齢を調べています。

まず、女性の場合、自分の年齢の変化に合わせ、魅力的だと感じる男性の年齢も上がっていきます。

20歳の女性は23歳の男性を、28歳の女性は29歳の男性を……と、20代のうちは自分より年上の男性を好むものの、30代に入ると自分よりやや若い男性を魅力的に感じるようになります。それでも、だいたい釣り合った年齢と言えるでしょう。

ところが、男性の場合は、とても極端な結果を示します。男性は、自分がいくつになっても20歳か21歳の女性が好きなのです。そして、25歳を超えることはありません。

これは、あくまで北米の人たちを対象にした調査ではありますが、日本でも当てはまると感じる人が多いのではないでしょうか。

もちろん、人間は見た目だけではなくて中身も大事です。だから、実際にパートナーとして選ぶ相手は、このデータとは違ってきます。

ただ、**いわゆる感覚レベルで「どの年代が魅力的か」と問われたら、男はいくつになっても若い女性が好き**なのです。

今、結婚年齢がどんどん上がってきています。男女ともに「結婚は別に20代のうちでなくてもいいや」と考えている人が多いはずです。しかし、本当に損得計算ができる女性は、自分の市場価値が最大の20代のうちに結婚相手を探します。

こんなことを言うと、結婚市場において圧倒的に女性が不利なように感じるかもしれませんが、そうではありません。

男性の多くは、本心では20歳とか21歳の女性を選びたいのです。しかし、その年齢の女性は、いくらでも自分に有利な選別ができます。

そして、彼女たちはお金持ちとかハンサムとか、いい条件の男性に持って行かれてしまうので、たいていの男性の願いは叶いません。

それでも、なお男性は「若い子がいいな」と思っています。そして、そう思いながらも理想の彼女はできずどんどん年を取ります。こうして40歳まで独身だった男性が、相変わらず「20歳か21歳がいいな」と思っていても、それはとうてい無理な話なのです。つまり、やはり男性の願いは叶わないわけです。

もう一つ、データを見てみましょう。

国立社会保障・人口問題研究所が公表した２０１５年の「出生動向基本調査」で

は、18歳から34歳までの未婚女性で、7歳以上年上の男性との結婚を望む女性は5・6％に過ぎません。

ですから、「若い子が好き」な男性は、20代のうちに結婚しないと望みは叶いにくくなるのですが、その頃はまだ稼ぎも少なく、肝心の女性に選んでもらえないという現実があります。

こうした事情もあるのか、**実際には、多くの夫婦はお互いの年齢が近い**ようです。

２０１５年の厚生労働省の「人口動態統計」によれば、夫が妻より7歳以上年上という夫婦は初婚では11％に留まっています。

お金のない夫婦の悪循環

厚生労働省の「国民生活基礎調査」２０１９年版によると、５１７９万世帯を調べた結果、年間平均所得は５５２万３千円、中央値は４３７万円となっています。

平均値は高所得者が引っ張り上げているため、実態は中央値に近いと考えていいでしょう。次ページのグラフを見てもらえばわかるとおり、２００万円から３００万円

所得金額別の世帯数割合（2019年）

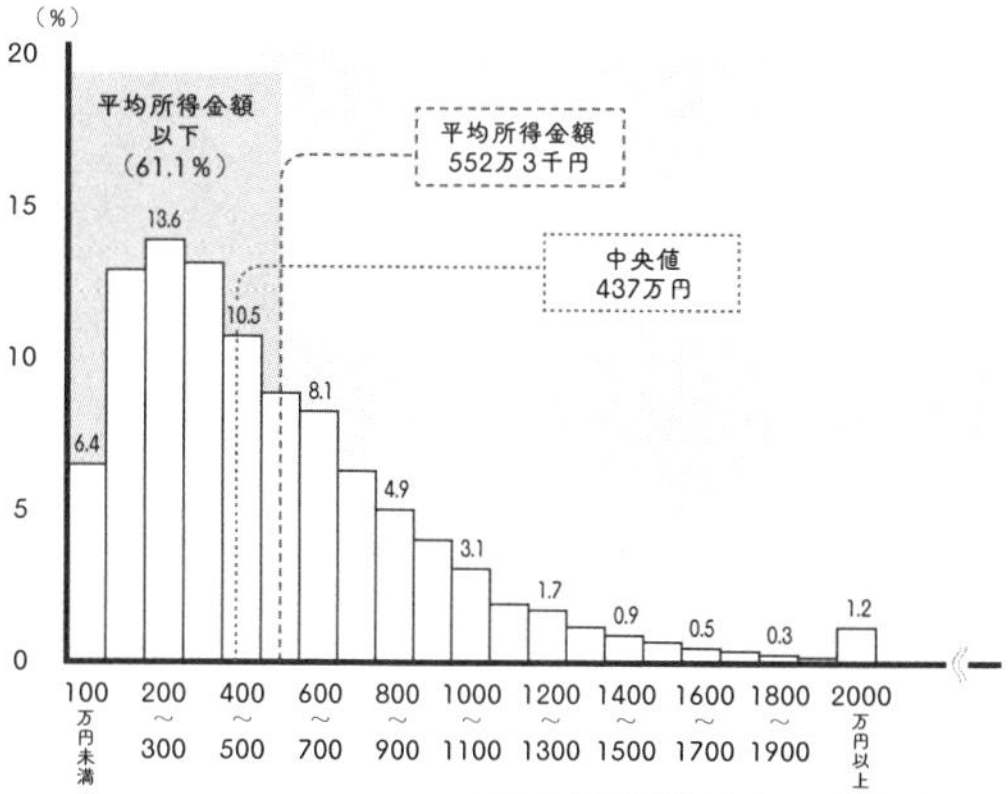

出典：「国民生活基礎調査」（2019年版）厚生労働省

未満という世帯が一番多いのです。

もっとも、所得が低いのは若い夫婦で、年齢が上がってくればある程度、収入も増えているはずです。しかし、その頃には子どもの教育費が家計を圧迫します。

日本が今の人口を保っていくためには、夫婦が2人以上の子どもを持つことが必要になります。

では、それが可能かシミュレーションしてみましょう。

一番、教育費がかかるのは大学の頃でしょう。日本の大学生の約78％が私立大学で、1年間の平均学費はだいたい100万円というところです。

大学生の子どもが2人いると、学費だけ

で年間200万円かかります。中央値の年収437万円の世帯なら、残りは237万円。月にして約20万円です。

月に20万円で4人家族が暮らしていくのはかなり厳しいでしょう。

もし、家賃が15万円であれば（あるいは家のローンを月に15万円返していれば）、残り5万円で食費も電気などの公共料金も携帯電話料金も車の維持費も医療費も服飾費も交際費も全部まかなわねばなりません。どんなにうまくやりくりしても赤字になってしまうでしょう。

僕の計算では、**なんとかぎりぎり子ども2人を大学に通わせるためには、最低でも850万円の年収が必要です。**

では、ここでもう一度225ページのグラフを見てください。年収850万円は相当、上位にいる人たちです。この人たちですらぎりぎりなのです。

一方、1・2%しかいない年収2000万円以上の世帯では、子どもが4人いても、それぞれ大学に通わせることも可能です。

そして、大卒と高卒では生涯年収が5000万円くらい違うので、結局は子どもにかけたお金は子どもが稼いでくれて、回収できる計算になります。
対して、108ページで述べたように、お金がなければ子どもに学歴をつけさせることが難しいので、貧乏の連鎖はなかなか止められません。

さらに今、世帯間の収入格差は広がりつつありますが、それに寄与しているのが妻の収入です。

いわゆる「パワーカップル」と呼ばれる、夫婦揃ってフルタイムで働き、それなりの高収入を得ている世帯が少しずつ増えているのです。

こういう世帯では、妻が高年収であるほど、夫の年収も高くなる傾向があることがわかっています。優秀な妻には、それに釣り合う夫がいるということでしょう。

これまでは夫が高収入であれば、妻は専業主婦に徹して働かないケースが多く、夫の収入と妻の収入はむしろ反比例する傾向にありました。

しかし、**昨今、夫が高収入であっても妻の労働力率が上昇していて、パワーカップルは今後も増えていく**ことと思われます。

おわりに

さて、「おわりに」を書いているひろゆきです。

10年前に常識だったものが、10年後には変わっているというのはよくあります。

たとえば、全国の中学生・高校生500人に「芸能人になれるとしたら、なりたいですか」と聞いたところ、中高生の48・2%は「なりたくない」と答えています。

また、中高生が就きたい職業の1位は「会社員・OL」、2位は「公務員」。5位には「YouTuber」が登場しています。

10年前は、もうちょっと夢のある答えをしていたと思うんですよね。「YouTuber」になりたい子たちも、ここ数年で急に増えたはずです。

学校で勉強するようなことでも同様です。鎌倉幕府が1192年に成立したと習った人は多いと思いますが、最近は1185年に成立したと言われていて、歴史的事実に関しても、「正解」が変わってきていたりします。

本書ではたくさんの「真実」を明かしてきましたが、これがすべて数十年後も正解だとは限りません。変化に惑わされないように、ちゃんと裏を取るようにしたほうがいいでしょう。

そうやって、この本の内容を鵜呑みにするのではなく、「これって本当なのかな？」と調べる癖をつけたほうが、長い人生、得することが多くなると思います。

最後に、本書の内容はライターさんや編集者さんに手伝っていただきながらまとめました。

ひろゆき

本書は、小社より刊行した単行本を文庫化したものです。

ひろゆき

本名：西村博之

1976年、神奈川県生まれ。東京都に移り、中央大学へと進学。在学中に、アメリカ・アーカンソー州に留学。1999年、インターネットの匿名掲示板「2ちゃんねる」を開設し、管理人になる。2005年、株式会社ニワンゴの取締役管理人に就任し、「ニコニコ動画」を開始。2009年に「2ちゃんねる」の譲渡を発表。2015年、英語圏最大の匿名掲示板「4chan」の管理人に。2019年、「ペンギン村」をリリース。

著書に『1％の努力』（ダイヤモンド社）、『無敵の思考』（大和書房）、『論破力』（朝日新聞出版）などがある。

知的生きかた文庫

叩《たた》かれるから今《いま》まで黙《だま》っておいた
「世《よ》の中《なか》の真実《しんじつ》」

著者　ひろゆき
発行者　押鐘太陽
発行所　株式会社三笠書房
〒一〇二-〇〇七二　東京都千代田区飯田橋三-三-一
電話〇三-五二二六-五七三四〈営業部〉
〇三-五二二六-五七三一〈編集部〉
https://www.mikasashobo.co.jp
印刷　誠宏印刷
製本　若林製本工場

ISBN978-4-8379-8775-8 C0130

知的生きかた文庫

仕事も人間関係もうまくいく放っておく力

枡野俊明

いちいち気にしない。反応しない。関わらない――。わずらわしいことを最小限に抑えて、人生をより楽しく、快適に、健やかに生きるための、99のヒント。

超訳 孫子の兵法「最後に勝つ人」の絶対ルール

田口佳史

ライバルとの競争、取引先との交渉、トラブルへの対処……孫子を知れば、「駆け引き」と「段取り」に圧倒的に強くなる！ ビジネスマン必読の書！

マッキンゼーのエリートが大切にしている39の仕事の習慣

大嶋祥誉

「問題解決」「伝え方」「段取り」「感情コントロール」……世界最強のコンサルティングファームで実践されている、働き方の基本を厳選紹介！ テレワークにも対応!!

渋沢栄一 うまくいく人の考え方

渋沢栄一［著］
竹内 均［編・解説］

日本近代経済の父といわれた渋沢栄一による、中国古典『論語』の人生への活かし方。名著『実験論語処世談』が現代語訳でよみがえる！ ドラッカーも絶賛の渋沢哲学!!

気にしない練習

名取芳彦

「気にしない人」になるには、ちょっとした練習が必要。仏教的な視点から、うつうつ、イライラ、クヨクヨを〝放念する〟心のトレーニング法を紹介します。

C50443